PIZZA

+50 recetas de deliciosas
pizzas caseras

Antonio Cosentino

Contenido

PIZZA DE POLLO A LA BARBACOA

- Harina para todo uso para la cáscara de pizza o spray antiadherente f
- Una receta de masa casera
- 6 cucharadas de salsa barbacoa (use la variedad que prefiera, de picante a suave)
- 4 onzas (1 /4 libra) de provolone ahumado o suizo ahumado, rallado
- 1 taza de carne de pollo cocida y picada
- 1/2 cebolla morada pequeña, cortada en cubitos (aproximadamente 1 /2 taza)
- 1 cucharadita de hojas de orégano picadas o 1 /2 cucharadita de orégano seco
- 1 onza de parmigiana, finamente rallada
- 1/2 cucharadita de hojuelas de pimiento rojo, opcional

Masa fresca sobre una piedra para pizza. Primero, espolvoree ligeramente una cáscara de pizza con harina. Agregue la masa y forme un círculo grande primero haciendo hoyuelos con las yemas de los dedos, luego recogiéndola por el borde y dándole forma con las manos en un círculo de aproximadamente 14 pulgadas de diámetro. Coloque la masa con el lado enharinado hacia abajo sobre la cáscara.

Masa fresca en una bandeja para pizza. Engrase con spray antiadherente y coloque la masa en un montículo en el centro de la bandeja o bandeja para hornear. Haga hoyuelos en la masa con las yemas de los dedos, luego tire y presione la masa hasta que forme un círculo de aproximadamente 14 pulgadas de diámetro en la bandeja o un rectángulo irregular, aproximadamente 13 × 7 pulgadas, en la bandeja para hornear.

Una corteza horneada. Colóquelo sobre una pala para pizza si usa una piedra para pizza, o coloque la base horneada directamente sobre una bandeja para pizza.

Use una espátula de goma para esparcir la salsa barbacoa uniformemente sobre la masa preparada, dejando un borde de 1 / 2 pulgada en el borde. Cubra con el queso ahumado rallado.

Coloque los trozos de pollo sobre el queso, luego espolvoree con la cebolla picada y el orégano.

Cubra con la parmesana rallada y las hojuelas de pimiento rojo, si se usa. Deslice el pastel desde la cáscara hasta la piedra muy caliente, o coloque la bandeja para pizza con su pastel en el horno o en la parte de la parrilla de la parrilla que no esté directamente sobre la fuente de calor.

Hornee o cocine a la parrilla con la tapa cerrada hasta que la corteza esté dorada y el queso se haya derretido e incluso haya comenzado a dorarse ligeramente, de 16 a 18 minutos. Deslice la cáscara debajo de la corteza para quitarla de la piedra o transfiera la bandeja de pizza o la hoja de harina con el pastel a una rejilla de alambre. Deje que el pastel se enfríe durante 5 minutos antes de cortarlo y servirlo.

Pizza de ternera y champiñones

- Harina multiusos para espolvorear la cáscara de pizza o spray antiadherente para engrasar la bandeja de pizza
- Una receta de masa casera
- 1 cucharada de mantequilla sin sal
- 1 cebolla amarilla pequeña, picada (aproximadamente 1 /2 taza)
- 5 onzas cremini o champiñones blancos, en rodajas finas (aproximadamente 11 /2 tazas)
- 8 onzas (1 /2 libra) de carne molida magra
- 2 cucharadas de jerez seco, vermú seco o vino blanco seco
- 1 cucharada de hojas de perejil picadas
- 2 cucharaditas de salsa Worcestershire
- 1 cucharadita de hojas de tomillo de tallo o 1 /2 cucharadita de tomillo seco
- 1 cucharadita de hojas de salvia picadas o 1 /2 cucharadita de salvia seca
- 1/2 cucharadita de sal
- /2 cucharadita de pimienta negra recién molida 2 cucharadas de salsa para bistec embotellada

- 6 onzas de queso cheddar, rallado

Masa fresca sobre una piedra para pizza.
Espolvorea una cáscara de pizza con harina. Coloque
la masa sobre ella y use las yemas de los dedos para
formar hoyuelos en la masa en un círculo grande.
Tome la masa por el borde y gírela en sus manos
hasta que forme un círculo de aproximadamente 14
pulgadas de diámetro. Coloque la masa moldeada
con el lado enharinado hacia abajo sobre la cáscara.

Masa fresca en una bandeja para pizza. Engrase
con spray antiadherente. Coloque la masa en la
bandeja o en la bandeja para hornear, haga
hoyuelos con las yemas de los dedos, luego tire de
ella y presiónela hasta que forme un círculo de 14
pulgadas en la bandeja o un rectángulo irregular de
12 × 7 pulgadas en la bandeja para hornear.

Una corteza horneada. Colóquelo sobre una pala
para pizza si usa una piedra para pizza, o coloque la
base horneada directamente sobre una bandeja
para pizza.

Derrita la mantequilla en una sartén grande a fuego
medio. Agregue la cebolla, cocine, revolviendo con
frecuencia, hasta que se ablande, aproximadamente
2 minutos.

Agrega los champiñones y continúa cocinando, revolviendo de vez en cuando, hasta que se ablanden, suelten su líquido y se evapore hasta formar un glaseado, unos 5 minutos.

Desmigaje en la carne molida, revolviendo ocasionalmente, hasta que esté bien dorado y cocido, aproximadamente 4 minutos.

Agregue el jerez o su sustituto, el perejil, la salsa inglesa, el tomillo, la salvia, la sal y la pimienta. Continúe cocinando, revolviendo constantemente, hasta que la sartén esté nuevamente seca. Apartar del fuego.

Extienda la salsa para bistec uniformemente sobre la base, dejando un borde de 1 / 2 pulgada en el borde. Cubra con el queso cheddar rallado, manteniendo limpio el borde.

Con una cuchara, esparza la mezcla de carne molida de manera uniforme sobre el queso. Luego, deslice la pizza de la cáscara a la piedra caliente, o coloque la tarta en su bandeja para pizza o en una hoja de harina, ya sea en el horno o sobre la parte sin calentar de la rejilla de la parrilla.

Hornee o cocine a la parrilla con la tapa cerrada hasta que el queso haya comenzado a burbujear y la corteza esté dorada en los bordes y algo firme al tacto, de 16 a 18 minutos. Asegúrese de hacer estallar las burbujas de aire que surjan en la masa fresca, particularmente en el borde y particularmente durante los primeros 10 minutos de horneado. Deslice la cáscara hacia atrás debajo de la corteza, teniendo cuidado de no desalojar la cobertura, y luego déjela a un lado durante 5 minutos, o coloque la pizza en la bandeja para pizza sobre una rejilla de alambre durante el mismo tiempo antes de cortarla y servirla. Debido a que los pings superiores son especialmente pesados, es posible que no sea posible quitar la pizza fácilmente de la cáscara, la bandeja o la bandeja para hornear antes de cortarla. Si usa una bandeja antiadherente o una bandeja para hornear, transfiera con cuidado todo el pastel a una tabla de cortar para evitar mellar la superficie antiadherente.

Pizza de Brócoli y Salsa de Queso

- Harina para todo uso para espolvorear una cáscara de pizza o spray antiadherente para engrasar una bandeja de pizza
- Una receta de masa casera
- 2 cucharadas de mantequilla sin sal
- 2 cucharadas de harina para todo uso
- 11 ⁄4 tazas de leche normal, baja en grasa o descremada
- 6 onzas de queso cheddar, rallado
- 1 cucharadita de mostaza de Dijon
- 1 cucharadita de hojas de tomillo de tallo o 1 ⁄2 cucharadita de tomillo seco
- 1⁄2 cucharadita de sal
- Varias gotas de salsa de pimiento rojo picante
- 3 tazas de floretes de brócoli frescos, cocidos al vapor o congelados, descongelados (
- 2 onzas de Parmigiana o Grana Padano, finamente rallado

Masa fresca sobre una piedra para pizza. Espolvorea una cáscara de pizza con harina. Coloque la masa en el centro de la cáscara y forme un círculo grande con la masa haciendo hoyuelos con las yemas de los dedos. Tome la masa y gírela sujetándola por el borde, tirando de ella ligeramente mientras lo hace, hasta que la corteza forme un círculo de unas 14 pulgadas de diámetro. Colóquelo con el lado enharinado hacia abajo sobre la cáscara.

Masa fresca en una bandeja para pizza. Engrase uno u otro con spray antiadherente. Coloque la masa en la bandeja o bandeja para hornear, haga hoyuelos en la masa con las yemas de los dedos hasta que forme un círculo plano. Derrita la mantequilla en una cacerola grande a fuego medio. Batir la harina hasta que quede suave y la mezcla resultante se vuelva rubia muy clara, aproximadamente 1 minuto.

Reduzca el fuego a medio-bajo y bata la leche, vertiéndola en un flujo lento y constante en la mezcla de mantequilla y harina. Continúe batiendo sobre el fuego hasta que espese, como helado derretido, tal vez un poco más delgado, aproximadamente 3 minutos o al primer signo de hervir a fuego lento. Retire la sartén del fuego y agregue el queso cheddar rallado, la mostaza, el tomillo, la sal y la salsa de pimiento rojo picante (al gusto). Deje enfriar durante 10 a 15 minutos, batiendo ocasionalmente.

Si está trabajando con una corteza horneada, omita este paso. Si está usando masa fresca, deslice la corteza con forma pero aún no cubierta de la cáscara a la piedra caliente o coloque la corteza en su bandeja o bandeja para hornear en el horno o sobre la parte no calentada de la rejilla de la parrilla. Hornee o cocine a la parrilla con la tapa cerrada hasta que la corteza esté de color marrón claro, teniendo cuidado de hacer estallar cualquier burbuja de aire que surja en su superficie o en su borde, aproximadamente 12 minutos. Deslice la cáscara hacia atrás debajo de la corteza para quitarla de la piedra, o transfiera la bandeja de pizza con la corteza a una rejilla de alambre.

Extienda la salsa de queso espesa sobre la base, dejando un borde de 1 / 2 pulgada en el borde. Cubra con los floretes de brócoli, colocándolos uniformemente sobre la salsa. Espolvorear con la parmesana rallada.

Pizza de Brócoli y Salsa de Tomate

- Harina de maíz amarilla para espolvorear una cáscara de pizza o aceite de oliva para engrasar una bandeja de pizza
- Una receta de masa casera
- 1 pimiento en frasco grande o pimiento rojo asado
- 1/2 cucharadita de hojuelas de pimiento rojo
- 1/2 taza de salsa clásica para pizza
- 3 onzas de mozzarella, rallado
- 3 onzas de provolone, Muenster o Havarti, rallado
- 2 tazas de floretes de brócoli congelados o floretes frescos, al vapor
- 1 onza de Parmigiana o Grana Padano, finamente rallada

Masa fresca sobre una piedra para pizza.
Espolvorea una cáscara de pizza con harina de maíz.
Coloque la masa como un bulto sobre la cáscara y luego haga hoyuelos con las yemas de los dedos hasta que forme un círculo grande. Tome la masa, sosténgala por el borde con ambas manos y gírela, estirándola ligeramente, hasta que forme un círculo de aproximadamente 14 pulgadas de diámetro.
Colóquelo con la harina de maíz hacia abajo sobre la

cáscara. Si ha utilizado la masa de pizza de espelta, es posible que sea demasiado frágil para darle forma con esta técnica.

Masa fresca en una bandeja para pizza. Engrasa la bandeja o la bandeja para hornear con aceite de oliva. Coloque la masa en cualquiera de los dos y haga hoyuelos con las yemas de los dedos; luego tire y presione la masa hasta que forme un círculo de 14 pulgadas en la bandeja o un rectángulo irregular, de 13 pulgadas de largo por 7 pulgadas de ancho, en la bandeja para hornear. Una corteza horneada. Colóquelo sobre una pala de pizza enharinada si usa una piedra para pizza, o coloque la base horneada en una bandeja para pizza.

Tritura el pimiento con las hojuelas de pimiento rojo en un mini procesador de alimentos hasta que quede suave. Alternativamente, muélelos en un mortero con una mano de mortero hasta obtener una pasta suave. Dejar de lado. Extienda la salsa para pizza de manera uniforme sobre la base preparada, dejando un borde de 1/2 pulgada en el borde. Cubra con ambos quesos rallados, manteniendo ese borde intacto.

Espolvoree los floretes de brócoli alrededor del pastel, nuevamente dejando ese borde intacto. Salpique el puré de pimiento por encima, usando aproximadamente 1 cucharadita por cada cucharada. Cubra con la Parmigiana finamente rallada. Deslice con cuidado la pizza de la cáscara a la piedra caliente, o si ha usado una bandeja para pizza o una bandeja para hornear, colóquela con su pastel en el horno o sobre la parte sin calentar de la parrilla.

Hornee o cocine a la parrilla con la tapa cerrada hasta que el queso se derrita, la salsa roja esté espesa y la corteza esté dorada y firme al tacto, de 16 a 18 minutos.
Vuelva a colocar la cáscara debajo de la pizza para quitarla de la piedra muy caliente o transfiera la pizza en su bandeja o bandeja para hornear a una rejilla de alambre. Si desea asegurarse de que la corteza se mantenga crujiente, retire el pastel de la cáscara, la bandeja o la bandeja para hornear después de que se haya enfriado durante aproximadamente 1 minuto y coloque la pizza directamente sobre la rejilla de alambre. En cualquier caso, enfríe durante un total de 5 minutos antes de cortar.

PIZZA DE POLLO BUFFALO

- Harina de maíz amarillo para espolvorear una cáscara de pizza o mantequilla sin sal para engrasar una bandeja de pizza
- Una receta de masa casera
- 1 cucharada de mantequilla sin sal
- 10 onzas de pechugas de pollo deshuesadas y sin piel, en rodajas finas
- 1 cucharada de salsa de pimiento rojo picante, preferiblemente Tabasco
- 1 cucharada de salsa Worcestershire
- 6 cucharadas de salsa de chile embotellada, como Heinz
- 3 onzas de mozzarella, rallado
- 3 onzas de Monterey Jack, rallado
- 3 costillas de apio medianas, en rodajas finas
- 2 onzas de queso azul, como Gorgonzola, Danish blue o Roquefort

Masa fresca sobre una piedra para pizza.
Espolvorea una cáscara de pizza con harina de maíz.
Coloque la masa en el centro de la cáscara y forme un círculo grande con la masa haciendo hoyuelos con las yemas de los dedos. Recoge la masa y dale forma con las manos, sosteniendo su borde, girando lentamente la masa hasta que forme un círculo de aproximadamente 14 pulgadas de diámetro.

Colóquelo con la harina de maíz hacia abajo sobre la cáscara.

Masa fresca en una bandeja para hornear. Unte un poco de mantequilla sin sal en una toalla de papel, luego frótela alrededor de una bandeja de pizza para engrasarla bien. Coloque la masa en la bandeja o bandeja para hornear, haga hoyuelos en la masa con las yemas de los dedos hasta que forme un círculo plano. Luego, tire y presione hasta que forme un círculo de 14 pulgadas en la bandeja o un rectángulo irregular de 12 × 7 pulgadas en la bandeja para hornear. Una corteza horneada. Colóquelo sobre una cáscara de pizza espolvoreada con harina de maíz si usa una piedra para pizza, o coloque la base horneada en una bandeja para pizza untada con mantequilla o en una bandeja para hornear grande.

Derrita la mantequilla en una sartén grande o en un wok a fuego medio. Agregue el pollo en rodajas cocine, revolviendo con frecuencia, hasta que esté bien cocido, aproximadamente 5 minutos. Retire la sartén o wok del fuego y agregue la salsa de pimiento rojo picante y la salsa Worcestershire. Extienda la salsa de chile sobre la base, teniendo cuidado de dejar un borde de 1 / 2 pulgada en el borde. Coloque el pollo en rodajas recubierto sobre la salsa.

Cubra con la mozzarella rallada y Monterey Jack, conservando el borde de la corteza. Espolvoree el apio en rodajas uniformemente sobre el pastel. Finalmente, desmenuce el queso azul de manera uniforme en pequeños goteos y gotas sobre los demás ingredientes.

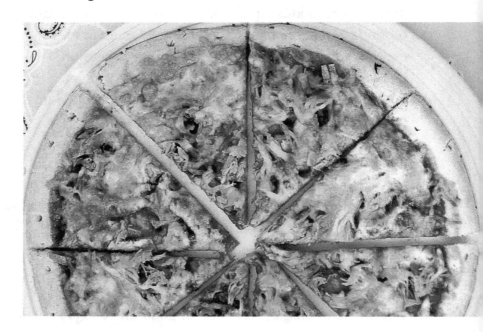

Pizza de acelgas y queso azul

- Harina de maíz amarilla para la cáscara o spray antiadherente para la bandeja de pizza o para hornear
- Una receta de masa casera,
- 2 cucharadas de mantequilla sin sal
- 3 dientes de ajo picados
- 4 tazas de hojas de acelga suiza bien compactadas, ralladas y sin tallo
- 6 onzas de mozzarella, rallado
- 1/3 taza de queso gorgonzola, azul danés o roquefort desmenuzado
- 1/2 cucharadita de nuez moscada rallada
- Hasta 1 /2 cucharadita de hojuelas de pimiento rojo, opcional

Masa de pizza fresca sobre una piedra para pizza. Espolvoree una cáscara de pizza con harina de maíz, luego coloque la masa en el centro. Forme un círculo grande haciendo hoyuelos con las yemas de los dedos. Recógelo y dale forma con las manos, sosteniendo su borde, girando lentamente la masa hasta que tenga aproximadamente 14 pulgadas de diámetro. Colóquelo con el lado enharinado hacia abajo sobre la cáscara.

Masa fresca en una bandeja para pizza. Engrase cualquiera de ellos con spray antiadherente. Coloque la masa en la bandeja o bandeja para hornear y haga hoyuelos en la masa con las yemas de los dedos; luego tire y presione hasta que forme un círculo de 14 pulgadas en la bandeja o un rectángulo irregular de 12 × 7 pulgadas en la bandeja para hornear.

Una corteza horneada. Colóquelo sobre una pala para pizza si usa una piedra para pizza, o coloque la base horneada directamente sobre una bandeja para pizza.

Calienta la mantequilla en una sartén grande a fuego medio. Agrega el ajo y cocina por 1 minuto.

Agregue las verduras y cocine, revolviendo a menudo con pinzas o dos tenedores, hasta que estén blandas y marchitas, aproximadamente 4 minutos. Dejar de lado.

Espolvoree la mozzarella rallada sobre la masa, dejando un borde de 1/2 pulgada alrededor del borde.

Cubra con la mezcla de verduras de la sartén, luego espolvoree el queso azul sobre la pizza. Ralle la nuez moscada por encima y espolvoree las hojuelas de pimiento rojo, si lo desea.

Desliza la pizza de la cáscara a la piedra caliente o coloca la tarta en su bandeja o hoja de harina en el horno o en la parte sin calentar de la parrilla. Hornee o cocine a la parrilla con la tapa cerrada hasta que el queso se derrita y burbujee y la corteza esté firme al tacto, de 16 a 18 minutos. Deslice la cáscara debajo del pastel para quitarla de la piedra caliente, luego déjela a un lado o transfiera el pastel en su bandeja o bandeja para hornear a una rejilla de alambre. Déjelo enfriar durante 5 minutos antes de cortarlo en rodajas.

Pizza de chorizo y pimiento rojo

- Harina para todo uso para espolvorear la cáscara o spray antiadherente para engrasar la bandeja de pizza
- Una receta de masa casera,
- 1 pimiento rojo mediano
- tomates secados al sol envasados en aceite
- 1 diente de ajo, cortado en cuartos
- onzas de mozzarella o Monterey Jack, rallado
- 4 onzas (1 /4 de libra) de chorizo español listo para comer, en rodajas finas
- 1/2 taza de aceitunas verdes picadas en rodajas
- 3 onzas de manchego o parmigiana, afeitado en tiras finas

Masa fresca sobre una piedra para pizza. Comience por espolvorear una cáscara de pizza con harina, luego coloque la masa en el centro. Use las yemas de los dedos para formar hoyuelos en la masa, extendiéndola un poco hasta que se convierta en un círculo plano. Recógelo y dale forma sosteniendo su borde y girándolo lentamente hasta que tenga aproximadamente 14 pulgadas de diámetro. Colóquelo con el lado enharinado hacia abajo sobre la cáscara.

Masa fresca en una bandeja para hornear. Engrasa una bandeja para pizza con spray antiadherente. Coloque la masa en la bandeja o bandeja para hornear, haga hoyuelos con las puntas de los dedos hasta que se convierta en un círculo plano; luego tire de ella y presiónela hasta que forme un círculo de 14 pulgadas en la bandeja o un rectángulo irregular de 12 × 17 pulgadas en la bandeja para hornear. Una corteza horneada. Colóquelo sobre una pala de pizza enharinada si usa una piedra para pizza, o coloque la base horneada en una bandeja para pizza.

Si tiene una estufa de gas, sostenga el pimiento con un par de pinzas a prueba de fuego sobre la llama abierta de uno de los quemadores hasta que se ennegrezca por completo, volteándolo con frecuencia, aproximadamente 5 minutos. Alternativamente, coloque el pimiento en una bandeja para hornear pequeña con labios y ase de 4 a 6 pulgadas de un asador precalentado hasta que se ennegrezca por todos lados, girando ocasionalmente, aproximadamente 4 minutos. En cualquier caso, coloque la pimienta ennegrecida en un tazón pequeño y selle herméticamente con una envoltura de plástico o selle en una bolsa de papel. Dejar reposar durante 10 minutos. (Ver nota.)

Pele los trozos exteriores ennegrecidos del pimiento. No es necesario quitar cada pequeño trozo negro. Quite el tallo, el corazón y la semilla del pimiento antes de partirlo en trozos grandes. Coloque estas piezas en un procesador de alimentos. Agregue los tomates secados al sol y el proceso de ajo hasta obtener una pasta bastante suave, raspando los lados con una espátula de goma según sea necesario. Extienda la mezcla de pimientos sobre la corteza, dejando un borde de 1 /2 pulgada en el borde. Cubra la mezcla de pimientos con el queso rallado y luego coloque las rodajas de chorizo sobre la pizza.

Espolvoree las aceitunas sobre el pastel y luego coloque las tiras afeitadas de manchego sobre los ingredientes.

Pizza Delicata de Calabaza y Acelgas

- Harina para todo uso para la piel de pizza o aceite de oliva para la bandeja de pizza
- Una receta de masa casera
- 1 cucharada de mantequilla sin sal
- cebolla amarilla pequeña, picada (aproximadamente 1 / 2 taza)
- taza de calabaza delicata, sin semillas y cortada en cubitos (2 o 3 calabazas medianas)
- 4 tazas de hojas de acelga, picadas y sin tallo
- 1/4 taza de vino blanco seco o vermú seco
- cucharada de sirope de arce
- cucharadita de hojas de salvia picadas o 1 / 2 cucharadita de salvia seca
- 1/2 cucharadita de canela molida
- 1/2 cucharadita de sal
- 1/2 cucharadita de pimienta negra recién molida
- 8 onzas de Fontina, rallada

Masa fresca sobre una piedra para pizza. Espolvorea ligeramente una cáscara de pizza con harina. Agregue la masa y forme un gran círculo haciendo hoyuelos con las yemas de los dedos. Levántelo con ambas manos en su borde y gírelo lentamente, dejando que la gravedad estire el círculo mientras lo hace también en su borde, hasta que tenga aproximadamente 14 pulgadas de diámetro. Coloque la masa moldeada con el lado enharinado hacia abajo sobre la cáscara.

Masa fresca en una bandeja para pizza. Engrase ligeramente la bandeja o la bandeja para hornear con un poco de aceite de oliva. Coloque la masa en el centro y haga hoyuelos en la masa con las yemas de los dedos para aplanarla en un círculo grueso, luego tire y presione hasta que forme un círculo de 14 pulgadas en la bandeja o un rectángulo irregular de 12 × 7 pulgadas en la bandeja para hornear. .

Una corteza horneada. Colóquelo sobre una pala de pizza enharinada si usa una piedra para pizza, o coloque la base horneada en una bandeja para pizza. Derrita la mantequilla en una sartén grande a fuego medio, luego agregue la cebolla y cocine, revolviendo con frecuencia, hasta que esté transparente, aproximadamente 3 minutos. Agregue la calabaza picada y cocine, revolviendo ocasionalmente, durante 4 minutos. Agrega las acelgas picadas y vierte el vino o el vermut. Revuelva constantemente hasta que se marchite parcialmente y luego agregue el jarabe de arce, la salvia, la canela, la sal y la pimienta.

Mezcle bien, cubra, reduzca el fuego a bajo y cocine, revolviendo ocasionalmente, hasta que las acelgas y la calabaza estén tiernas y el líquido se haya evaporado a un glaseado, aproximadamente 8 minutos. Extienda la Fontina rallada de manera uniforme sobre la corteza, dejando un borde de 1 /2 pulgada alrededor de su borde. Vierta la cobertura de calabaza y acelgas uniformemente sobre el queso. Deslice la corteza de la cáscara y sobre la piedra caliente o coloque el pastel en su bandeja o bandeja para hornear en el horno o sobre la parte sin calentar de la parrilla. Hornee o cocine a la parrilla con la tapa cerrada hasta que el queso burbujee y la corteza se haya dorado, de 16 a 18 minutos. Desliza la cáscara debajo de la corteza para quitarla de la piedra y deja enfriar durante 5 minutos, o transfiere la tarta en su bandeja o bandeja para hornear a una rejilla para que se enfríe durante 5 minutos.

PIZZA DE CONFIT DE PATO

- Harina multiusos para la pala de pizza o spray antiadherente para la bandeja de pizza
- Una receta de masa casera
- 4 onzas (1 /4 de libra) de gruyere, rallado
- 1/3 taza de frijoles blancos enlatados, escurridos y enjuagados
- 1 cabeza de ajo asado (vea las instrucciones en el paso 1 en la página 105) o 12 dientes de ajo asados de la barra de ensaladas del supermercado
- 2 cucharadas de hojas de salvia picadas o 1 cucharada de salvia seca
- 2 cucharaditas de hojas de tomillo con tallo o 1 cucharadita de tomillo seco
- 1/2 cucharadita de sal
- 1/2 cucharadita de pimienta negra recién molida
- 4 onzas de patas de pato confitadas, deshuesadas y la carne deshebrada
- onzas de kielbasa ahumado, listo para comer, en rodajas finas 11 /2 onzas de parmigiana, finamente rallado

Masa fresca sobre una piedra para pizza. Después de haber espolvoreado una cáscara de pizza con harina, coloque la masa en el centro y haga hoyuelos en la masa con las yemas de los dedos, estirándola hasta que se convierta en un círculo aplanado y ondulado. Levántelo por su borde y gírelo lentamente en sus manos, estirando el borde mientras lo hace, hasta que sea un círculo de aproximadamente 14 pulgadas de diámetro. Coloque la masa con el lado enharinado hacia abajo sobre la cáscara.

Masa fresca en una bandeja para pizza. Engrase con spray antiadherente y coloque la masa en el centro. Haga hoyuelos en la masa con las yemas de los dedos, luego tire y presione la masa hasta que forme un círculo de 14 pulgadas en la bandeja o un rectángulo irregular, de aproximadamente 12 pulgadas de largo y 7 pulgadas de ancho, en la bandeja para hornear. Una corteza horneada. Colóquelo sobre una pala de pizza enharinada si usa una piedra para pizza, o coloque la base horneada en una bandeja para pizza engrasada.

Extienda el gruyere rallado sobre la corteza, dejando un borde de 1 /2 pulgada en el borde. Cubra el queso con los frijoles, luego exprima la pulpa de ajo sobre la pizza. Si está usando ajo asado comprado, corte los dientes en cuartos para que puedan esparcirse sobre el pastel. Espolvorea salvia, tomillo, sal y pimienta.

Coloque la carne confitada de pato desmenuzada y las rodajas de kielbasa sobre el pastel, luego cubra con la parmesana rallada. Deslice el pastel de la cáscara sobre la piedra caliente o coloque el pastel en su bandeja de pizza en el horno o en la parte sin calentar de la parrilla de la parrilla.

Hornee o cocine a la parrilla con la tapa cerrada hasta que la corteza esté ligeramente dorada y algo firme al tacto, de 16 a 18 minutos. Si aparecen burbujas de aire alrededor de los bordes de la masa fresca, póngalas con un tenedor.

PIZZA DE ALBÓNDIGAS

- Harina para todo uso para la piel de pizza o aceite de oliva para la bandeja de pizza
- Una receta de masa casera
- 8 onzas (1 /2 libra) de carne molida magra
- 1/4 taza de hojas de perejil picadas
- 2 cucharadas de pan rallado seco
- 1/2 onza de Asiago, Grana Padano o Pecorino, finamente rallado
- 2 cucharaditas de hojas de orégano picadas o 1 cucharadita de orégano seco
- 1/2 cucharadita de semillas de hinojo
- 1/4 de cucharadita de sal.
- 1/4 de cucharadita de pimienta negra recién molida 5 dientes de ajo picados
- 1 cucharada de aceite de oliva
- 1 cebolla amarilla pequeña, picada (aproximadamente 1 /2 taza)
- Una lata de 14 onzas de tomates triturados

- 1 cucharadita de hojas de tomillo de tallo o 1 /2 cucharadita de tomillo seco
- 1/4 de cucharadita de nuez moscada rallada o molida y 1/4 de cucharadita de clavo molido
- 1/4 de cucharadita de hojuelas de pimiento rojo
- 6 onzas de mozzarella, rallado
- 2 onzas de parmigiana, cortada en tiras finas

Masa fresca sobre una piedra para pizza. Espolvoree una cáscara de pizza con harina, coloque la masa en su centro y forme un círculo grande con la masa haciendo hoyuelos con las yemas de los dedos. Recógelo y dale forma sosteniendo su borde y girándolo, mientras lo estiras suavemente, hasta que tenga aproximadamente 14 pulgadas de diámetro. Colóquelo con el lado enharinado hacia abajo sobre la cáscara.

Masa fresca en una bandeja para pizza. Frote un poco de aceite de oliva en una toalla de papel y engrase la bandeja. Coloque la masa en el medio y haga hoyuelos en la masa con las yemas de los dedos hasta que se convierta en un círculo aplanado; luego tire y presione hasta que forme un círculo de 14 pulgadas en la bandeja o un rectángulo irregular de 12 × 7 pulgadas en la bandeja para hornear.

Colóquelo sobre una pala de pizza enharinada si usa una piedra para pizza, o coloque la base horneada en una bandeja para pizza engrasada.

Mezcle la carne molida, el perejil, el pan rallado, el queso rallado, el orégano, las semillas de hinojo, 1 /2 cucharadita de sal, 1 /2 cucharadita de pimienta y 1 diente de ajo picado en un tazón grande hasta que estén bien combinados. Forme 10 albóndigas, usando aproximadamente 2 cucharadas de la mezcla para cada una.

Calentar el aceite de oliva en una cacerola grande a fuego medio. Agregue la cebolla y los 4 dientes de ajo picados restantes y cocine, revolviendo con frecuencia, hasta que se ablanden, aproximadamente 3 minutos.

Agregue los tomates triturados, el tomillo, la nuez moscada, los clavos, las hojuelas de pimiento rojo, el 1 /4 de cucharadita de sal restante y el 1 /4 de cucharadita de pimienta restante. Agregue las albóndigas y cocine a fuego lento.

Reduzca el fuego a bajo y cocine a fuego lento, sin tapar, hasta que la salsa se espese y las albóndigas estén bien cocidas, aproximadamente 20 minutos. Enfriar a temperatura ambiente durante 20 minutos.

Extienda la mozzarella rallada sobre la base preparada, dejando un borde de 1 / 2 pulgada en el borde. Retire las albóndigas de la salsa de tomate y déjelas a un lado. Vierta y esparza la salsa de tomate sobre el queso, teniendo cuidado de mantener intacto el borde.

Corta cada albóndiga por la mitad y coloca las mitades con el lado cortado hacia abajo por todo el pastel. Cubra con el pimiento morrón cortado en cubitos y luego la Parmigiana raspada. Deslice la pizza de la cáscara a la piedra caliente o coloque la pizza en su bandeja o bandeja para hornear en el horno o sobre la parte sin calentar de la rejilla de la parrilla.

Hornee o cocine a la parrilla con la tapa cerrada hasta que la salsa burbujee y la corteza se haya dorado, de 16 a 18 minutos. Deslice la cáscara hacia atrás debajo de la corteza para quitarla de la piedra caliente o transfiera el pastel de la bandeja a una rejilla de alambre. Déjelo enfriar durante 5 minutos antes de cortarlo en rodajas.

Pizza Mexicana De Camarones

- Harina multiusos para espolvorear la cáscara de pizza o spray antiadherente para engrasar la bandeja de pizza
- Una receta de masa casera,
- 6 onzas de camarones medianos (aproximadamente 30 por libra), pelados y desvenados
- 8 onzas (1 /2 libra) de tomates cherry, picados (ver Notas)
- 1 chalota mediana, picada
- 11 /2 cucharadas de hojas de cilantro picadas
- 1 cucharada de aceite de oliva virgen extra
- 1 cucharadita de vinagre de vino tinto
- 1/4 de cucharadita de sal.
- 6 onzas de queso cheddar, rallado
- 1 jalapeño en escabeche mediano en frasco, sin semillas y picado
- 1 cucharadita de semillas de comino trituradas

Masa fresca sobre una piedra para pizza.
Espolvoree una cáscara de pizza con harina, coloque la masa en su centro y forme con la masa un círculo grande y plano haciendo hoyuelos con las yemas de los dedos. Recógelo y dale forma sosteniendo su borde y girando y estirando lentamente la masa

hasta que tenga aproximadamente 14 pulgadas de diámetro. Colóquelo con el lado enharinado hacia abajo sobre la cáscara.

Masa fresca en una bandeja para pizza. Engrase con spray antiadherente, luego coloque la masa en el centro. Haga hoyuelos en la masa con las yemas de los dedos, luego tire y presione la masa hasta que forme un círculo de aproximadamente 14 pulgadas de diámetro en la bandeja o un rectángulo irregular de 12 × 7 pulgadas en la bandeja para hornear. Una corteza horneada. Colóquelo sobre una pala para pizza si usa una piedra para pizza, o coloque la base horneada directamente sobre una bandeja para pizza.

Coloque una cacerola mediana con una vaporera de verduras. Agregue una pulgada de agua (pero no para que el agua suba al vaporizador) a la sartén y hierva el agua a fuego alto. Agregue los camarones, cubra, reduzca el fuego a bajo y cocine al vapor hasta que estén rosados y firmes, aproximadamente 3 minutos. Retirar y refrescar con agua fría para detener su cocción. Picar en trozos del tamaño de un bocado. Mezcle los tomates cherry, la chalota, el cilantro, el aceite de oliva, el vinagre y la sal en un tazón pequeño. Extienda esta mezcla sobre la base preparada, dejando un borde de 1 / 2 pulgada en el borde.

Cubra con el queso cheddar rallado, luego
espolvoree los camarones picados, el jalapeño
picado y las semillas de comino trituradas. Deslice
la pizza de la cáscara a la piedra caliente o coloque
el pastel en su bandeja o bandeja para hornear en
el horno o en la sección de la rejilla de la parrilla
que no esté directamente sobre la fuente de calor
o las brasas. Hornee o cocine a la parrilla con la
tapa cerrada hasta que la corteza esté dorada y el
queso se haya derretido, de 16 a 18 minutos. Si
trabaja con masa fresca, ya sea casera o comprada
en la tienda, revísela de vez en cuando para poder
pinchar cualquier burbuja de aire que pueda surgir
en su superficie. Cuando la pizza esté lista, deslice
la cáscara debajo de ella para quitarla de la piedra
o transfiera la tarta en su bandeja o bandeja para
hornear a una rejilla de alambre. Deje enfriar
durante 5 minutos antes de cortar y servir.

Pizza Nacho

- Harina de maíz amarilla para espolvorear la cáscara de pizza o spray antiadherente para engrasar la bandeja de pizza
- Una receta de masa casera
- 11 /4 tazas de frijoles refritos enlatados
- 6 onzas de Monterey Jack, rallado
- 3 tomates ciruela medianos, picados
- 1/2 cucharadita de comino molido
- cucharadita de hojas de orégano picadas o 1 /2 cucharadita de orégano seco
- 1/2 cucharadita de sal
- 1/2 cucharadita de pimienta negra recién molida
- 1/3 taza de salsa, preferiblemente una salsa verde (o "verde")
- 1/2 taza de crema agria regular o baja en grasa
- Rodajas de jalapeño en escabeche en lata, al gusto

Masa fresca sobre una piedra para pizza. Espolvoree una cáscara de pizza con harina de maíz, coloque la masa en su centro y forme un círculo grande con la masa haciendo hoyuelos con las yemas de los dedos. Recógelo y dale forma con las manos en el borde, girando lentamente la masa hasta que tenga aproximadamente 14 pulgadas de diámetro. Colóquelo con la harina de maíz hacia abajo sobre la cáscara.

Masa fresca en una bandeja para pizza. Engrasa la bandeja o la bandeja para hornear con spray antiadherente. Coloque la masa en el centro y haga hoyuelos en la masa con las yemas de los dedos hasta que sea un círculo grande y aplanado; luego tire de ella y presiónela hasta que forme un círculo de 14 pulgadas en la bandeja o un rectángulo irregular, de aproximadamente 12 × 7 pulgadas, en la bandeja para hornear.

Una corteza horneada. Colóquelo sobre una pala para pizza si usa una piedra para pizza, o coloque la base horneada directamente sobre una bandeja para pizza. Use una espátula de goma para esparcir los frijoles refritos sobre la corteza, cubriéndola uniformemente pero dejando un borde de 1 / 2 pulgada en el borde. Cubra los frijoles con el Monterey Jack rallado.

Revuelva los tomates picados, el comino, el orégano, la sal y la pimienta en un tazón grande, luego esparza uniformemente sobre el queso. Salpique la salsa en cucharadas pequeñas sobre la base. Desliza la pizza de la cáscara a la piedra caliente o coloca la tarta en su bandeja o bandeja para hornear en el horno o en la parrilla a fuego indirecto. Hornee o cocine a la parrilla con la tapa cerrada hasta que el queso burbujee y los frijoles estén calientes.

Vuelva a deslizar la cáscara debajo de la corteza y reserve o transfiera el pastel en la bandeja o bandeja para hornear a una rejilla de alambre. Déjelo enfriar durante 5 minutos. Para obtener una corteza más crujiente, retire la pizza de la cáscara, la bandeja o la bandeja para hornear después de uno o dos minutos para dejar que se enfríe directamente sobre la rejilla.

Cubra el pastel con un poco de crema agria y tantas rodajas de jalapeño como desee antes de cortarlo y servirlo.

Pizza de guisantes y zanahorias

- Harina multiusos para la pala de pizza o spray antiadherente para la bandeja de pizza
- Una receta de masa casera
- 2 cucharadas de mantequilla sin sal
- 11 /2 cucharadas de harina para todo uso
- 1/2 taza de leche entera, baja en grasa o descremada
- 1/2 taza de crema espesa, batida o ligera 3 onzas
- 2 cucharaditas de hojas de tomillo con tallo o 1 cucharadita de tomillo seco
- 1/2 cucharadita de nuez moscada rallada
- taza de guisantes frescos sin cáscara o guisantes congelados, descongelados
- taza de zanahorias cortadas en cubitos (si las usa congeladas, luego descongeladas)
- 3 dientes de ajo picados
- 1 onza de parmigiana, finamente rallada

Masa fresca sobre una piedra para pizza. Espolvoree una cáscara de pizza con harina, coloque la masa en el centro y haga hoyuelos en la masa en un círculo grande y plano con las yemas de los dedos. Recógelo y dale forma sosteniendo su borde, girándolo lenta y suavemente estirando la masa hasta que el círculo tenga aproximadamente 14 pulgadas de diámetro. Coloque la masa con el lado enharinado hacia abajo sobre la cáscara.

Masa fresca en una bandeja para pizza. Engrase con spray antiadherente y coloque la masa en el centro de cualquiera. Haga hoyuelos en la masa con las puntas de los dedos hasta que se convierta en un círculo aplastado y aplanado; luego tire y presione hasta que forme un círculo de 14 pulgadas en la bandeja o un rectángulo irregular de 12 × 7 pulgadas en la bandeja para hornear. Una corteza horneada. Colóquelo sobre una pala de pizza enharinada si usa una piedra para pizza, o coloque la base horneada en una bandeja para pizza. Derrita la mantequilla en una sartén grande a fuego medio. Agregue la harina y continúe batiendo hasta que quede suave y de color beige muy claro. Batir la leche en un flujo lento y constante y luego batir la crema. Continúe batiendo sobre el fuego hasta que espese, como un helado derretido bastante fino. Agregue el queso rallado, el tomillo y la nuez moscada hasta que quede suave. Enfriar a temperatura ambiente durante 10 minutos.

Mientras tanto, deslice la corteza sin tapar de la cáscara a la piedra caliente o coloque la corteza en su bandeja en el horno o sobre la parte no calentada de la rejilla de la parrilla. Hornee o cocine a la parrilla con la tapa cerrada hasta que la corteza comience a sentirse firme en los bordes y comience a dorarse, aproximadamente 10 minutos. Si está usando masa fresca, deberá hacer estallar las burbujas de aire que puedan surgir sobre su superficie o en sus bordes mientras se hornea. Deslice la cáscara hacia atrás debajo de la corteza parcialmente horneada y retírela del horno o parrilla, o bien transfiera la corteza de la bandeja o bandeja para hornear a una rejilla de alambre.

Extienda la salsa espesa a base de leche sobre la base, dejando un borde de 1 / 2 pulgada en el borde. Cubra la salsa con los guisantes y las zanahorias, luego espolvoree el ajo uniformemente sobre el pastel. Por último, espolvorear la parmesana rallada sobre las coberturas.

Pizza Philly Cheesesteak

- Harina multiusos para la pala de pizza o spray antiadherente para la bandeja de pizza
- Una receta de masa casera,
- 1 cucharada de mantequilla sin sal
- 1 cebolla amarilla pequeña, cortada a la mitad por el tallo y en rodajas finas
- 1 pimiento verde pequeño, sin semillas y en rodajas muy finas (
- 2 cucharadas de salsa Worcestershire
- Varias gotas de salsa de pimiento rojo picante
- 6 cucharadas de salsa para pizza clásica (página 38), salsa para pizza sin cocinar (página 39) o salsa para pizza simple en frasco
- 8 onzas (1 / 2 libra) de queso mozzarella, rallado
- 6 onzas de rosbif deli, cortado en tiras
- 3 onzas de provolone, rallado

Masa fresca sobre una piedra para pizza. Espolvorea ligeramente una cáscara de pizza con harina. Agregue la masa y forme un gran círculo haciendo hoyuelos con las yemas de los dedos. Levántelo por el borde y déle forma girándolo lentamente y estirándolo suavemente hasta que tenga aproximadamente 14 pulgadas de diámetro. Colóquelo con el lado enharinado hacia abajo sobre la cáscara.

Masa fresca en una bandeja para pizza. Engrasa la bandeja o la bandeja para hornear con spray antiadherente. Coloque la masa en el centro y haga un hoyuelo con las puntas de los dedos hasta que quede en un círculo aplastado; luego tire y presione la masa hasta que forme un círculo de aproximadamente 14 pulgadas de diámetro en la bandeja o un rectángulo irregular, aproximadamente de 12 × 7 pulgadas , en la bandeja para hornear.

Una corteza horneada. Colóquelo sobre una pala de pizza enharinada si usa una piedra para pizza, o coloque la base horneada en una bandeja para pizza. Derrita la mantequilla en una sartén grande a fuego medio. Agregue la cebolla y el pimiento y cocine, revolviendo con frecuencia, hasta que se ablanden, aproximadamente 5 minutos. Agregue la salsa Worcestershire y la salsa de pimiento rojo picante (al gusto). Continúe cocinando hasta que el líquido de la sartén se haya reducido a un glaseado, aproximadamente 2 minutos más. Enfriar a temperatura ambiente durante 5 minutos. Use una espátula de goma para esparcir la salsa de pizza sobre la base preparada, dejando un borde de 1 / 2 pulgada en el borde. Cubra con la mozzarella rallada.

Coloque las tiras de rosbif de manera uniforme sobre el pastel, luego vierta y extienda la mezcla de verduras sobre la carne. Cubra con el provolone rallado.

Deslice la pizza de la cáscara a la piedra caliente o coloque la pizza en su bandeja o bandeja para hornear en el horno o sobre la parte de la rejilla de la parrilla que no está justo sobre la fuente de calor. Hornee o cocine a la parrilla con la tapa cerrada hasta que la corteza esté dorada, uniformemente dorada en su parte inferior, y el queso se haya derretido e incluso haya comenzado a tomar un color marrón muy claro, aproximadamente 18 minutos. Una o dos veces, revise la masa fresca, ya sea casera o comprada en la tienda, para pinchar cualquier burbuja de aire que pueda surgir en su superficie, particularmente en el borde.

Pizza Polinesia

- Harina multiusos para espolvorear la cáscara de pizza o spray antiadherente para engrasar la bandeja de pizza
- Una receta de masa casera
- 3 cucharadas de kecap manis o salsa de soja dulce y espesa de Indonesia (
- 6 onzas de mozzarella, rallado
- 3 onzas de tocino canadiense, cortado en cubitos
- 1 taza de trozos de piña fresca
- 1/2 taza de cebolletas en rodajas finas
- cucharada de semillas de sésamo

Masa fresca sobre una piedra para pizza. Espolvoree una cáscara de pizza con harina, coloque la masa en el centro y forme con la masa un círculo grande y plano haciendo hoyuelos con las yemas de los dedos. Levántelo por el borde y estírelo girándolo hasta que tenga aproximadamente 14 pulgadas de diámetro. Coloque la masa moldeada con el lado enharinado hacia abajo sobre la cáscara.

Masa fresca en una bandeja para pizza. Engrasa la bandeja o la bandeja para hornear con spray antiadherente. Coloque la masa en el centro de cualquiera de ellos y haga hoyuelos en la masa con las yemas de los dedos, luego tire y presione hasta que forme un círculo de 14 pulgadas en la bandeja o un rectángulo irregular de 12 × 7 pulgadas en la bandeja para hornear.

Una corteza horneada. Colóquelo sobre una pala de pizza enharinada si usa una piedra para pizza, o coloque la base horneada en una bandeja para pizza.

Extienda el kecap manis uniformemente sobre la masa, dejando un borde de 1 ⁄ 2 pulgada en el borde. Espolvoree la mozzarella rallada uniformemente sobre la salsa.

Cubra la pizza con el tocino canadiense, los trozos de piña y las cebolletas en rodajas, luego espolvoree las semillas de sésamo de manera uniforme sobre el pastel.

Deslice la corteza de la cáscara a la piedra muy caliente o coloque el pastel en su bandeja o bandeja para hornear en el horno o en la parrilla sobre la porción sin calentar. Hornee o cocine a la parrilla con la tapa cerrada hasta que el queso se derrita y la corteza esté dorada, de 16 a 18 minutos.

Desliza la cáscara debajo de la corteza para quitarla de la piedra caliente o transfiere la tarta en su bandeja o bandeja para hornear a una rejilla de alambre. Enfríe la pizza sobre la cáscara o la rejilla para hornear durante 5 minutos antes de cortarla. Para asegurarse de que la corteza permanezca crujiente, transfiera la pizza de la cáscara, la bandeja o la bandeja para hornear directamente a la rejilla después de aproximadamente un minuto.

Pizza De Pastel De Olla

- Harina de maíz amarilla para la cáscara de pizza o spray antiadherente para la bandeja de pizza
- Una receta de masa casera
- 1 cucharada de mantequilla sin sal
- 11 /2 cucharadas de harina para todo uso
- 1 taza de leche entera, baja en grasa o descremada, a temperatura ambiente
- 1 cucharada de mostaza de Dijon
- 11 /2 cucharaditas de hojas de tomillo de tallo o 1 cucharadita de tomillo seco
- 1 cucharadita de hojas de salvia picadas o 1 /2 cucharadita de salvia seca
- 1 taza de carne de pollo o pavo cocida, picada, sin piel, deshuesada
- 2 tazas de vegetales mixtos congelados, descongelados
- 2 cucharaditas de salsa Worcestershire
- 1/2 cucharadita de sal
- 1/2 cucharadita de pimienta negra recién molida
- Varias gotas de salsa de pimiento rojo picante

- 6 onzas de gouda, emmental, suizo o cheddar, rallado

Masa fresca sobre una piedra para pizza. Comience por espolvorear una cáscara de pizza con harina de maíz, luego coloque la masa en el centro. Haga hoyuelos en la masa con las yemas de los dedos en un círculo grande y plano; luego, recójalo, sosténgalo por el borde y gírelo frente a usted, mientras lo estira suavemente hasta que tenga aproximadamente 14 pulgadas de diámetro. Coloque la masa con forma de harina de maíz hacia abajo sobre la cáscara.

Masa fresca en una bandeja para pizza. Engrase uno u otro con spray antiadherente. Coloque la masa en el centro de cualquiera de ellos y haga hoyuelos en la masa con las yemas de los dedos; luego tire de ella y presiónela hasta que forme un círculo de aproximadamente 14 pulgadas de diámetro en la bandeja o un rectángulo irregular de 12 × 7 pulgadas en la bandeja para hornear.

Una corteza horneada. Colóquelo sobre una cáscara de pizza espolvoreada con harina de maíz si usa una piedra para pizza, o coloque la corteza horneada directamente sobre una bandeja para pizza.

Derrita la mantequilla en una cacerola grande a fuego medio. Agregue la harina hasta que esté

bastante suave, luego continúe batiendo sobre el
fuego hasta que quede rubio claro,
aproximadamente
segundos.

Batir la leche en un flujo lento y constante.
Continúe batiendo sobre el fuego hasta que espese,
como un helado derretido. Batir la mostaza y las
hierbas.

Retire la sartén del fuego y agregue la carne y las
verduras, luego agregue la salsa Worcestershire, la
sal, la pimienta y la salsa de pimiento rojo picante
(al gusto).

Agregue el queso rallado hasta que todo esté
uniforme y cubierto con la salsa.

Extienda uniformemente sobre la corteza, dejando
un borde de 1 / 2 pulgada en el borde.

Deslice la corteza de la cáscara y colóquela sobre
la piedra, o coloque el pastel en su bandeja o
bandeja para hornear en el horno o sobre la sección
sin calentar de la parrilla. Hornee o cocine a la
parrilla con la tapa cerrada hasta que el relleno
burbujee y la corteza se haya dorado y esté algo
firme al tacto, aproximadamente 18 minutos.
Verifique un pastel de masa fresca de vez en

cuando para asegurarse de que no haya burbujas de aire en la corteza que se forman.

Deslice la cáscara de nuevo debajo de la corteza para quitar el pastel de la piedra o transfiera el pastel en su bandeja o bandeja para hornear a una rejilla de alambre. Dejar enfriar durante 5 minutos antes de cortar. Si lo desea, transfiera la tarta directamente a la rejilla de alambre después de aproximadamente un minuto para dejar que la corteza se enfríe un poco sin descansar sobre otra superficie caliente.

PIZZA DE PAPA, CEBOLLA Y SALSA PICANTE

- Harina multiusos para espolvorear la cáscara de pizza o spray antiadherente para engrasar la bandeja de pizza
- Una receta de masa casera
- 12 onzas (3 /4 de libra) de papas blancas hirviendo, como los zapateros irlandeses, peladas
- 6 cucharadas de chutney de mango, chutney de arándanos u otra a base de frutas
- chatney
- 6 onzas de Monterey Jack, rallado
- 3 cucharadas de hojas de eneldo picadas o 1 cucharada de eneldo seco
- 1 cebolla dulce grande, como una Vidalia

Masa fresca sobre una piedra para pizza. Espolvorea ligeramente una cáscara de pizza con harina. Agregue la masa y forme un gran círculo haciendo hoyuelos con las yemas de los dedos. Levántelo, sostenga su borde y gírelo lentamente, estirándolo todo el tiempo, hasta que tenga aproximadamente 14 pulgadas de diámetro. Coloque la masa con el lado enharinado hacia abajo sobre la cáscara.

Masa fresca en una bandeja para pizza. Engrasa la bandeja o la bandeja para hornear con spray antiadherente. Coloque la masa en el centro de cualquiera de los hoyuelos de la masa con las yemas de los dedos hasta que sea un círculo grueso y aplanado, luego tire y presione la masa hasta que forme un círculo de 14 pulgadas en la bandeja o un rectángulo irregular de 12 × 7 pulgadas en la bandeja para hornear.

Una corteza horneada. Colóquelo sobre una pala para pizza si usa una piedra para pizza, o coloque la base horneada en una bandeja para pizza. Mientras se calienta el horno o la parrilla, hierva aproximadamente 1 pulgada de agua en una cacerola grande equipada con una vaporera para vegetales. Agregue las papas, cubra, reduzca el fuego a medio y cocine al vapor hasta que estén tiernas cuando las pinche con un tenedor, aproximadamente 10 minutos. Transfiera a un colador colocado en el fregadero y enfríe durante 5 minutos, luego córtelo en rodajas muy finas.

Extienda la salsa picante uniformemente sobre la base preparada, dejando un borde de aproximadamente 1 / 2 pulgada en el borde. Cubra uniformemente con el Monterey Jack rallado. Coloque las rodajas de papa de manera uniforme y decorativa sobre el pastel, luego espolvoree con el eneldo. Corta la cebolla por la mitad a través de su tallo. Colóquelo con el lado cortado hacia abajo en su tabla de cortar y use un cuchillo muy afilado para hacer rodajas finas como el papel. Separe estas rebanadas en tiras individuales y colóquelas sobre el pastel.

Deslice el pastel desde la cáscara hasta la piedra muy caliente, teniendo cuidado de mantener los pings superiores en su lugar o coloque el pastel en su bandeja o bandeja para hornear en el horno o en la sección de la parrilla de la parrilla que no esté directamente sobre el fuego. fuente. Hornee o cocine a la parrilla con la tapa cerrada hasta que la corteza esté ligeramente dorada en el borde, aún más oscura en la parte inferior, de 16 a 18 minutos. Si surgen burbujas de aire en el borde o en el medio de la masa fresca, revuélvalas con un tenedor para obtener una corteza uniforme. Desliza la cáscara debajo de la tarta caliente sobre la piedra o transfiere la tarta en su bandeja o bandeja para hornear a una rejilla de alambre. Deje enfriar durante 5 minutos antes de cortar y servir.

Pizza de Prosciutto y Rúcula

- Harina para todo uso para la piel de pizza o aceite de oliva para la bandeja de pizza
- Una receta de masa casera
- 1/4 de taza de salsa para pizza clásica (página 38), salsa para pizza sin cocinar (página 39) o salsa para pizza simple en frasco
- 3 onzas de mozzarella fresca, en rodajas finas
- 1/2 taza de hojas de rúcula empaquetadas, sin tallos gruesos 2 onzas de prosciutto,
- cucharada de vinagre balsámico

Masa fresca sobre una piedra para pizza. Espolvoree una cáscara de pizza con harina, coloque la masa en el centro y haga hoyuelos en la masa en un círculo grande y plano con las yemas de los dedos. Recógelo y dale forma con las manos, sujetando el borde, girándolo lentamente y estirándolo hasta que tenga aproximadamente 14 pulgadas de diámetro. Coloque la masa moldeada con el lado enharinado hacia abajo sobre la cáscara.

Masa fresca en una bandeja para pizza. Engrase ligeramente con un poco de aceite de oliva untado con una toalla de papel. Coloque la masa en la bandeja o bandeja para hornear, haga hoyuelos en la masa con las yemas de los dedos, luego tire y presione hasta que forme un círculo de 14 pulgadas en la bandeja o un rectángulo bastante irregular de 12 × 7 pulgadas en la bandeja para hornear.

Colóquelo sobre una pala de pizza enharinada si usa una piedra para pizza, o coloque la base horneada en una bandeja para pizza. Extienda la salsa para pizza de manera uniforme sobre la base, dejando un borde de 1/2 pulgada en el borde. Coloque las rodajas de mozzarella de manera uniforme sobre el pastel, manteniendo limpio el borde.

Coloque las hojas de rúcula sobre el pastel, luego cubra con las tiras de prosciutto. Deslice la pizza de la cáscara a la piedra caliente o coloque el pastel en su bandeja o bandeja para hornear con la pizza en el horno o en la sección de la rejilla de la parrilla que no está directamente sobre la fuente de calor.

Hornee o cocine a la parrilla con la tapa cerrada hasta que la corteza esté dorada y algo firme y el queso se haya derretido, de 14 a 16 minutos. Si trabaja con masa fresca, revísela durante los primeros 10 minutos para que pueda hacer estallar las burbujas que puedan surgir, especialmente en el borde. Desliza la cáscara debajo de la tarta caliente para quitarla de la piedra o transfiere la tarta en su bandeja o bandeja para hornear a una rejilla de alambre. Rocíe el pastel con el vinagre balsámico y luego déjelo enfriar durante 5 minutos antes de cortarlo.

Pizza Ruben

- Harina para todo uso para la cáscara o spray antiadherente para la bandeja de pizza o la bandeja para hornear
- Una receta de masa casera
- 3 cucharadas de mostaza deli
- 1 taza de chucrut escurrido, exprimido en lotes sobre el fregadero para eliminar el exceso de humedad (
- 6 onzas Swiss, Emmental, Jarlsberg o Jarlsberg Light, rallado
- 4 onzas (1 /4 de libra) de carne en conserva cocida deli, cortada en rodajas gruesas y picada

Masa fresca sobre una piedra para pizza. Espolvoree una cáscara de pizza con harina y coloque la masa en el centro. Forme un círculo grande con la masa haciendo hoyuelos con las yemas de los dedos.

Recógelo y dale forma con las manos, sosteniendo su borde, girando lentamente la masa y estirando suavemente su borde hasta que tenga aproximadamente 14 pulgadas de diámetro. Colóquelo con el lado enharinado hacia abajo sobre la cáscara.

Masa fresca en una bandeja para pizza. Engrase cualquiera de ellos con spray antiadherente. Coloque la masa en el centro de cualquiera de ellos y haga hoyuelos en la masa con las yemas de los dedos hasta que sea un círculo grueso y aplanado; luego tire y presione la masa hasta que forme un círculo de 14 pulgadas en la bandeja de pizza o un rectángulo irregular de 12 × 7 pulgadas en la bandeja para hornear.

Una corteza horneada. Colóquelo sobre una pala para pizza si usa una piedra para pizza, o coloque la base horneada directamente sobre una bandeja para pizza.

Extienda la mostaza uniformemente sobre la base preparada, dejando un borde de 1 / 2 pulgada en el borde. Extienda el chucrut uniformemente sobre la mostaza.

Cubra el pastel con el queso rallado, luego la carne en conserva picada. Deslice con cuidado la pizza desde la cáscara hasta la piedra caliente o coloque el pastel en su bandeja o bandeja para hornear en el horno o sobre la parte de la rejilla de la parrilla, no directamente sobre el fuego o las brasas.

Hornee o cocine a la parrilla con la tapa cerrada hasta que la corteza se haya endurecido y se haya dorado y hasta que el queso se haya derretido y dorado un poco, de 16 a 18 minutos. Si surgen burbujas de aire en la masa fresca, particularmente en el borde, revístalas para obtener una corteza uniforme. Vuelva a colocar la cáscara debajo de la pizza, teniendo cuidado de no desalojar la cobertura, para quitar el pastel de la piedra caliente o transfiera el pastel en su bandeja o bandeja para hornear a una rejilla de alambre. Deje enfriar durante 5 minutos antes de cortar y servir.

Pizza de Raíces Asadas

- Harina para todo uso para espolvorear la piel de pizza o aceite de oliva para engrasar la bandeja de pizza
- Una receta de masa casera
- 1/2 cabeza de ajo grande (aproximadamente 8 dientes, sin pelar)
- 1/2 batata pequeña, pelada, cortada por la mitad a lo largo y en rodajas finas
- 1/2 bulbo de hinojo pequeño, cortado por la mitad, cortado y en rodajas finas
- 1/2 chirivía pequeña, pelada, cortada por la mitad a lo largo y en rodajas finas
- cucharada de aceite de oliva
- 1/2 cucharadita de sal
- 4 onzas (1/4 de libra) de queso mozzarella, rallado
- onza de parmigiana, finamente rallada
- cucharada de vinagre balsámico almibarado

Masa fresca sobre una piedra para pizza. Espolvorea ligeramente una cáscara de pizza con harina. Agregue la masa y forme un gran círculo haciendo hoyuelos con las yemas de los dedos. Levántelo, sosténgalo por el borde con ambas manos y gírelo lentamente, estirando el borde un poco cada vez, hasta que el círculo tenga aproximadamente 14 pulgadas de diámetro. Coloque la cáscara con el lado enharinado hacia abajo.

Masa fresca en una bandeja para pizza. Engrase la bandeja o la bandeja para hornear con un poco de aceite de oliva untado con una toalla de papel. Coloque la masa en el centro de la masa con las yemas de los dedos, luego tire de ella y presiónela hasta que forme un círculo de 14 pulgadas en la bandeja o un rectángulo irregular, de aproximadamente 12 × 7 pulgadas, en la bandeja para hornear.

Una corteza horneada. Colóquelo sobre una pala de pizza enharinada si usa una piedra para pizza, o coloque la base horneada en una bandeja para pizza.

Envuelva los dientes de ajo sin pelar en un pequeño paquete de papel de aluminio y hornee o cocine a la parrilla directamente sobre el fuego durante 40 minutos.

Mientras tanto, mezcle la batata, el hinojo y la chirivía en un tazón grande con el aceite de oliva y la sal. Vierta el contenido del tazón en una bandeja para hornear grande. Coloque en el horno o sobre la sección sin calentar de la parrilla y ase, girando ocasionalmente, hasta que esté suave y dulce, de 15 a 20 minutos.

Transfiera el ajo a una tabla de cortar y abra el paquete, cuidando el vapor. También coloque la bandeja para hornear con las verduras a un lado sobre una rejilla.

Aumente la temperatura del horno o de la parrilla de gas a 450 ° F, o agregue algunas brasas más a la parrilla de carbón para subir un poco el fuego.

Extienda la mozzarella rallada sobre la base preparada, dejando un borde de 1 ∕ 2 pulgada en el borde. Cubra el queso con todas las verduras, exprima el ajo blando y pulposo de su cáscara de papel y sobre el pastel. Cubra con la parmigiana rallada.

Deslice la pizza de la cáscara a la piedra caliente o coloque la pizza en su bandeja o bandeja para hornear en el horno o sobre la sección sin calentar de la parrilla. Hornee o cocine a la parrilla con la tapa cerrada hasta que la corteza se haya dorado e incluso se haya oscurecido un poco en su parte inferior, hasta que el queso se haya derretido y haya comenzado a dorarse, 16 a minutos. La masa fresca puede desarrollar algunas burbujas de aire durante los primeros 10 minutos; particularmente en el borde, páselos con un tenedor para asegurar una corteza uniforme.

Deslice la cáscara hacia atrás debajo de la corteza para quitarla de la piedra caliente o transfiera la pizza en su bandeja o bandeja para hornear a una rejilla de alambre. Dejar reposar por 5 minutos. Para mantener la corteza crujiente, es posible que desee transferir el pastel de la cáscara, la bandeja o la hoja de harina directamente a la rejilla para que se enfríe después de aproximadamente un minuto. Una vez que se enfríe un poco, rocíe el pastel con el vinagre balsámico y luego córtelo en trozos para servir.

PIZZA DE SALCHICHA Y MANZANA

- Harina de maíz amarilla para espolvorear la cáscara de pizza o spray antiadherente para engrasar la bandeja de pizza
- Una receta de masa casera,
- 1 cucharada de aceite de oliva
- onzas (1 /2 libra) de salchicha de pollo o pavo
- 1 cucharada de mostaza molida gruesa
- 6 onzas de Fontina, rallada
- 1 manzana verde pequeña, preferiblemente una tarta de manzana como Granny Smith, pelada, sin corazón y en rodajas finas
- 2 cucharadas de hojas de romero picadas, o de perejil, u hojas de tomillo con tallo, o una combinación de dos para equivaler a 2 cucharadas
- 11 /2 onzas de parmigiana, pecorino o grana padano, finamente rallado

Masa fresca sobre una piedra para pizza. Espolvoree ligeramente una cáscara de pizza con harina de maíz. Agregue la masa y forme un gran círculo haciendo hoyuelos con las yemas de los dedos. Recógelo y dale forma sosteniendo su borde con ambas manos, girándolo lentamente y estirándolo suavemente todo el tiempo, hasta que el círculo tenga aproximadamente 14 pulgadas de diámetro. Coloque la masa con la harina de maíz hacia abajo sobre la cáscara.

Masa fresca en una bandeja para pizza. Engrase uno u otro con spray antiadherente. Coloca la masa en el centro de cualquiera de los hoyuelos con las yemas de los dedos hasta que se forme un círculo plano y grueso. Luego, tire y presione hasta que forme un círculo de 14 pulgadas en la bandeja o un rectángulo irregular de 12 × 7 pulgadas en la bandeja para hornear.

Una corteza horneada. Colóquelo sobre una cáscara de pizza espolvoreada con harina de maíz si usa una piedra para pizza, o coloque la base horneada en una bandeja para pizza. Caliente una sartén grande a fuego medio. Revuelva en el aceite de oliva, luego agregue la salvia. Cocine, volteando ocasionalmente, hasta que estén bien dorados por todos lados y bien cocidos. Transfiera a una tabla de cortar y corte en rodajas finas. Extienda la mostaza uniformemente sobre la base preparada, dejando un borde de 1 /2 pulgada en el borde. Cubra con la Fontina rallada, luego coloque la salchicha en rodajas uniformemente sobre el pastel. Coloque las rodajas de manzana entre las rodajas de salchicha, luego espolvoree con una de las hierbas picadas y el queso rallado.

Desliza la pizza de la cáscara a la piedra muy caliente si has usado una bandeja para pizza o una bandeja para hornear, colócala con el pastel en el horno o sobre la sección sin calentar de la parrilla. Hornee o cocine a la parrilla con la tapa cerrada hasta que el queso se haya derretido y burbujee y la corteza haya comenzado a dorarse en los bordes, incluso a un marrón más oscuro en la parte inferior, de 16 a 18 minutos. Si trabaja con masa fresca, haga estallar las burbujas de aire que surjan en su borde durante los primeros 10 minutos de horneado o asado.

Desliza la cáscara debajo del pastel para quitarla de la piedra o transfiere el pastel en su bandeja o bandeja para hornear a una rejilla de alambre.

PIZZA SHIITAKE

- Harina multiusos para la pala de pizza o spray antiadherente para la bandeja de pizza
- Una receta de masa casera,
- 8 onzas (1 /2 libra) de tofu suave y sedoso
- 6 onzas de tapas de hongos shiitake, sin tallos y desechados, tapas en rodajas finas
- 3 cebolletas medianas, en rodajas finas
- 2 cucharaditas de pasta de chile rojo asiático
- 2 cucharaditas de jengibre fresco picado y pelado
- 1 cucharadita de salsa de soja regular o reducida en sodio
- 1 cucharadita de aceite de sésamo tostado

Masa fresca sobre una piedra para pizza. Espolvorea ligeramente una cáscara de pizza con harina. Coloque la masa en su centro y forme con la masa un círculo grueso y plano haciendo hoyuelos con las yemas de los dedos. Levántelo, sosténgalo por el borde con ambas manos y gírelo, estirándolo lentamente por el borde, hasta que el círculo tenga aproximadamente 14 pulgadas de diámetro. Colóquelo con el lado enharinado hacia abajo sobre la cáscara.

Masa fresca en una bandeja para pizza. Engrasa la bandeja o la bandeja para hornear con spray antiadherente. Coloque la masa sobre un hoyuelo con las yemas de los dedos, luego tire de ella y presiónela hasta que forme un círculo de 14 pulgadas en la bandeja o un rectángulo irregular de 12 × 7 pulgadas en la bandeja para hornear.

Una corteza horneada. Colóquelo sobre una pala para pizza si usa una piedra para pizza, o coloque la base horneada directamente sobre una bandeja para pizza.

Procese el tofu en un procesador de alimentos equipado con la cuchilla para picar hasta que quede suave y cremoso. Extienda sobre la base preparada, asegurándose de dejar un borde de 1 / 2 pulgada en el borde.

Cubra el tofu con las tapas de champiñones en rodajas y las cebolletas. Espolvoree la pasta de chile, el jengibre, la salsa de soja y el aceite de sésamo de manera uniforme sobre los ingredientes. Deslice el pastel desde la cáscara hasta la piedra caliente o coloque el pastel en su bandeja o bandeja para hornear en el horno o sobre la sección sin calentar de la rejilla de la parrilla.

Hornee o cocine a la parrilla con la tapa cerrada hasta que la corteza esté dorada y algo firme al tacto, de 16 a 18 minutos. Verifique la masa fresca varias veces para asegurarse de que no haya burbujas de aire, particularmente en el borde, si es así, revíselas con un tenedor para asegurar una corteza uniforme. Una vez hecho esto, deslice la cáscara debajo del pastel para quitarla de la piedra caliente o transfiera el pastel en su bandeja o bandeja para hornear a una rejilla de alambre. Deje enfriar durante 5 minutos antes de cortar y servir.

PIZZA DE ESPINACAS Y RICOTTA

- O harina para todo uso para espolvorear la cáscara de pizza
- Una receta de masa casera
- 2 cucharadas de aceite de canola
- 3 dientes de ajo picados
- 6 onzas de hojas tiernas de espinaca
- 1/4 de cucharadita de nuez moscada rallada o molida
- 1/4 de cucharadita de hojuelas de pimiento rojo
- 1/2 taza de vino blanco seco o vermú seco
- 1/4 de taza de ricotta regular, baja en grasa o sin grasa
- 11 /2 onzas de parmigiana, finamente rallada
- 1/2 cucharadita de sal
- 1/2 cucharadita de pimienta negra recién molida

Masa fresca sobre una piedra para pizza. Espolvorea ligeramente una cáscara de pizza con harina. Agregue la masa y forme un gran círculo haciendo hoyuelos con las yemas de los dedos. Recógelo y dale forma con las manos, sosteniendo su borde, girando lentamente la masa y estirando su borde hasta que tenga aproximadamente 14 pulgadas de diámetro. Coloque la masa con el lado enharinado hacia abajo sobre la cáscara.

Masa fresca en una bandeja para pizza. Engrasa la bandeja o la bandeja para hornear con spray antiadherente. Coloque la masa en un hoyuelo de la masa con las puntas de los dedos hasta que sea un círculo grueso y plano; luego tire de ella y presiónela hasta que forme un círculo de 14 pulgadas en la bandeja o un rectángulo irregular de 12 × 7 pulgadas en el horno. sábana.

Una corteza horneada. Colóquelo sobre una pala para pizza si usa una piedra para pizza, o coloque la base horneada directamente sobre una bandeja para pizza. Caliente una sartén grande a fuego medio. Revuelva en el aceite, luego agregue el ajo y cocine por 30 segundos. Agregue las espinacas, la nuez moscada y las hojuelas de pimiento rojo hasta que las hojas comiencen a marchitarse y luego vierta el vino. Cocine, revolviendo constantemente, hasta que las espinacas se hayan marchitado completamente y la sartén esté casi seca. Retire la sartén del fuego y agregue la ricota, la parmesana rallada, la sal y la pimienta hasta que esté bastante suave.

Extienda la mezcla de espinacas sobre la base preparada, dejando un borde de 1 / 2 pulgada en el borde. Deslice la pizza de la cáscara a la piedra caliente o coloque la pizza en su bandeja o bandeja para hornear en el horno o sobre la sección sin calentar de la rejilla de la parrilla.

Hornee o cocine a la parrilla con la tapa cerrada hasta que el relleno esté firme y ligeramente dorado, hasta que la corteza esté algo firme, de 16 a 18 minutos. Deslice la cáscara hacia atrás debajo de la pizza para quitarla de la piedra caliente o transfiera el pastel en su bandeja o bandeja para hornear a una rejilla de alambre. Deje enfriar durante 5 minutos antes de cortar y servir. Para asegurar una corteza crujiente, transfiera la tarta de la cáscara, la bandeja o la bandeja para hornear directamente a la rejilla después de un par de minutos.

PIZZA DE ENSALADA DE RÚCULA

- Uno de 16 oz. paquete de masa de pizza de grano entero refrigerada o masa de pizza de grano entero
- Harina de maíz
- 1/3 taza de salsa marinara
- $1\frac{1}{2}$ cucharaditas de orégano seco
- 1 taza de queso vegetal rallado
- 2 tazas de rúcula fresca mezclada y espinacas tiernas
- $1\frac{1}{2}$ tazas de tomates cherry frescos (amarillos), cortados por la mitad
- $\frac{1}{2}$ pimiento rojo mediano, cortado en cubitos
- 1 aguacate mediano maduro, en rodajas $\frac{1}{4}$ taza de pistachos tostados
- 1 cucharada de vinagre balsámico

Precalienta el horno a 350 ° F. Estire la masa de pizza para que quepa en un molde para pizza de 14 pulgadas o una piedra para pizza. Espolvorea la sartén o piedra con harina de maíz y coloca la masa encima. Unte la salsa marinara sobre la masa y espolvoree el orégano y el queso vegetal por encima. Coloca la sartén o piedra en el horno y hornea de 30 a 35 minutos, hasta que la corteza esté dorada y firme al tacto.

En el último minuto antes de servir, retire la corteza del horno y cubra con la rúcula y las espinacas tiernas, los tomates, el pimiento morrón, el aguacate y los pistachos. Los greens se marchitarán rápidamente. Rocíe con el vinagre y el aceite de oliva. Servir inmediatamente.

PIZZA DE AGUACATE Y TODO

- 2 tazas de mezcla para hornear de suero de leche
- 1/2 taza de agua caliente
- 1 lata (8 onzas) de salsa de tomate
- 1/4 taza de cebolla verde picada
- 1/2 taza de queso mozzarella rallado
- 1/2 taza de champiñones en rodajas
- 1/3 taza de aceitunas maduras en rodajas
- 1 tomate pequeño, en rodajas
- 2 cucharadas de aceite de oliva
- 1 aguacate, sin semillas, pelado y en rodajas
  Hojas de albahaca fresca, opcional

Caliente el horno a 425F. Mezcle la mezcla de suero de leche y el agua con un tenedor en un tazón pequeño. Golpee o enrolle en un círculo de 12 pulgadas en una bandeja para hornear o una bandeja para pizza sin engrasar. Mezcle la salsa de tomate y la cebolla verde untada sobre la masa de pizza. Cubra con queso, champiñones, aceitunas y rodajas de tomate. Rocíe aceite de oliva por encima. Hornee de 15 a 20 minutos o hasta que el borde de la base esté dorado. Retire la pizza del horno y coloque las rodajas de aguacate encima. Adorne con hojas de albahaca y sirva.

PIZZA DE POLLO BBQ

- 3 mitades de pechuga de pollo deshuesadas, cocidas y en cubos
- 1 taza de salsa barbacoa con sabor a nogal
- 1 cucharada de miel
- 1 cucharadita de melaza
- 1/3 taza de azúcar morena
- 1/2 manojo de cilantro fresco picado
- 1 masa de pizza precocida (12 pulgadas)
- 1 taza de queso Gouda ahumado, rallado
- 1 taza de cebolla morada en rodajas finas

Precaliente el horno a 425F. En una cacerola a fuego medio-alto, combine el pollo, la salsa barbacoa, la miel, la melaza, el azúcar morena y el cilantro. Llevar a hervir. Extienda la mezcla de pollo de manera uniforme sobre la base de la pizza y cubra con queso y cebolla. Hornee durante 15 a 20 minutos o hasta que el queso se derrita.

Pizza de Fresa BBQ

- 1 receta de masa de pizza (preparada previamente en el supermercado es un gran ahorro de tiempo)
- 250 gramos (1 taza) de queso boursin (finas hierbas y ajo)
- 2 cucharadas. glaseado balsámico
- 2 tazas de fresas en rodajas
- 1/3 taza de albahaca picada
- Pimienta al gusto
- 1 cucharada. aceite de oliva para rociar
- parmesano afeitado para decorar
- Cocine la masa de pizza en barbacoa (fuego alto) o en el horno.
- Retirar del fuego y untar (mientras está caliente) con boursin (o queso crema con hierbas).

Espolvorear con albahaca y fresas. Rocíe con aceite de oliva y glaseado balsámico y decore con pimienta (al gusto) y parmesano rallado.

Pizza de plato hondo de brócoli

- 1 paquete de levadura seca
- 1 1/3 taza de agua tibia (110 a 115 grados)
- 1 t de azúcar
- 3 1/2 c de harina sin blanquear
- 1 taza de harina para pastel
- 1 1/2 t de sal
- 1 taza más 2 cucharadas de aceite de oliva
- 3 cucharadas de ajo picado
- (1) lata de 15 oz de salsa de tomate
- (1) lata de 12 oz de pasta de tomate
- 2 cucharadas de orégano
- 2 cucharadas de albahaca
- 2 c de champiñones en rodajas Sal y pimienta
- 1 libra de salchicha italiana (caliente o dulce)
- 1/2 t de semillas de hinojo trituradas
- 2 cucharadas de mantequilla
- 8 tazas de brócoli blanqueado y picado
- 1 cucharada de manteca
- 3 1/2 taza de queso mozzarella rallado
- 1/2 taza de queso parmesano rallado

Disuelva la levadura en agua tibia y agregue el azúcar. Combine las harinas y la sal, y agregue gradualmente la levadura disuelta y 1/4 taza de aceite. Amasar hasta obtener una textura suave. Ponga en un tazón grande, cúbralo con una envoltura de plástico y déjelo crecer hasta que tenga el triple de volumen (2-3 horas).

Mientras tanto, prepara los rellenos. Caliente 1/4 taza de aceite en una sartén, agregue 2 t de ajo y cocine por 30 segundos (sin dorar). Agregue la salsa de tomate y la pasta, cocine a fuego lento hasta que espese. Agregue la albahaca y el orégano, deje enfriar.

Agregue 2 cucharadas de aceite y saltee los champiñones hasta que estén ligeramente dorados y el líquido se evapore. Sazone al gusto y deje enfriar. Retirar y desechar las tripas de la salchicha, desmenuzar y agregar la salchicha a la sartén junto con el hinojo. Cocine bien, retire y enfríe. Calentar la mantequilla y 2 T de aceite a 1 t de ajo y remover durante 30 segundos. Agregue el brócoli hasta que esté bien cubierto y el líquido se evapore. Sazone al gusto reservar.

Cuando la masa haya subido, golpee hacia abajo. Cortar aproximadamente 2/5 y reservar. Engrase un molde para pizza hondo de 14 x 1 1/2 "con la manteca vegetal. En una tabla enharinada, extienda 3/5 de la masa formando un círculo de 20". Encajar en la sartén, dejando que la masa sobrante cuelgue por el costado. Cepille la masa con 1 cucharada de aceite y espolvoree con sal. Espolvorea 1 taza de mozzarella sobre la masa. Unte la salsa de tomate sobre el queso, esparza los champiñones sobre los tomates y cubra con 1 taza de mozzarella. Estire la masa restante hasta formar un círculo de aproximadamente 14 ". Unte los lados de la masa dentro del molde con agua. Coloque el círculo de 14" en el molde. Presione los bordes (tire si es necesario) contra la masa batida para sellarla. Recorta la masa que sobresale a 1/2 "y vuelve a mojarla. Dobla hacia adentro y riza para formar un borde elevado alrededor del borde del molde. Corte un respiradero de vapor en la capa superior de la masa y unte con 1 cucharada de aceite. Extienda la salchicha sobre la masa y cubra con el brócoli. Combine los quesos restantes y espolvoree el brócoli con 1/4 taza de aceite. Hornee en un horno precalentado a 425 grados durante 30-40 minutos. Se congela bien.

Tartas De Pizza De Pollo Buffalo

- Un paquete de 12 onzas de muffins ingleses de trigo integral (6 muffins)
- 1 pimiento naranja mediano, cortado en dados de $\frac{1}{4}$ de pulgada (aproximadamente 1 $\frac{1}{4}$ de taza)
- 1 cucharada de aceite de canola
- 12 onzas de mitades de pechuga de pollo deshuesadas y sin piel, cortadas en dados de $\frac{1}{2}$ pulgada
- Media taza de salsa para pasta
- 1 cucharada de salsa Buffalo
- 1 cucharada de aderezo de queso azul
- 1 a 1 $\frac{1}{2}$ tazas de queso mozzarella semidescremado, rallado

Precalienta el horno a 400 ° F. Corta los muffins ingleses por la mitad y colócalos en una bandeja para hornear. Tostar en el horno durante unos 5 minutos. Retirar y reservar. Caliente el aceite en una sartén antiadherente grande a fuego medio-alto. Agregue el pimiento y cocine, revolviendo con frecuencia, hasta que esté tierno, aproximadamente 5 minutos.

Agregue el pollo y cocine hasta que ya no esté rosado, de 3 a 5 minutos. Agregue la salsa para pasta, la salsa Buffalo y el aderezo de queso azul y mezcle bien.

Para armar las pizzas, cubra cada mitad de muffin uniformemente con la mezcla de pollo. Espolvoree el queso uniformemente sobre cada uno. Hornee hasta que el queso se derrita, unos 5 minutos.

Pizza de California

- 1 taza de aceite de oliva
- 2 tazas de hojas frescas de albahaca
- 2 dientes de ajo picados
- 3 cucharadas de piñones
- 1/2 taza de queso parmesano recién rallado
- 1 cebolla, finamente rebanada
- 1 pimiento rojo dulce, sin semillas y cortado en tiras
- 1 pimiento verde, sin semillas y cortado en tiras
- 2 cucharadas de aceite de oliva
- 1 cucharada de agua
- 1/2 libra de salchicha de ajo e hinojo o salchicha italiana dulce 3 onzas de queso de cabra
- 10 onzas de queso mozzarella, rallado grueso
- 2 cucharadas de queso parmesano recién rallado
- 2 cucharadas de harina de maíz

Preparar la masa. Disolver la levadura en agua y reservar. Mezcle la harina, la sal y el azúcar en un bol. Hacer un "pozo" en el centro, verter la solución de levadura y el aceite de oliva. Mezcle la harina con un tenedor, trabajando hacia el exterior del pozo. A medida que la masa se endurezca, incorpore la harina restante a mano. Forme una bola y amase de ocho a diez minutos en una tabla enharinada.

Coloque en un recipiente cubierto de aceite, cubra con un paño húmedo y deje crecer en un lugar cálido y sin corrientes de aire hasta que duplique su tamaño, aproximadamente dos horas.

Prepare la salsa pesto con una licuadora o procesador de alimentos. Combine todo excepto el queso. Procese pero no cree un puré. Agrega el queso. Poner lado. Saltee las cebollas y los pimientos en una cucharada de aceite de oliva y agua en una sartén grande a fuego medio. Revuelva con frecuencia hasta que los pimientos estén suaves. Escurrir y reservar. Dore la salchicha, rompiéndola en pedazos mientras se cocina. Escurre el exceso de grasa. Picar en trozos grandes y reservar.

Precaliente a 400 grados. Esparza el aceite de oliva restante sobre un molde para pizza de 12 pulgadas. Espolvorea con harina de maíz. Golpee la masa de pizza, aplaste ligeramente con un rodillo, gire y aplaste con los dedos. Coloque la masa en el molde y extienda hasta los bordes con las yemas de los dedos. Hornea cinco minutos. Unte la salsa pesto sobre la masa. Desmenuce el queso de cabra uniformemente sobre el pesto. Agregue cebollas y pimientos, salchichas y quesos. Hornee por 10 minutos o hasta que la corteza esté ligeramente dorada y el queso burbujee.

Pizza de Cebolla Caramelizada

- 1/4 taza de aceite de oliva para freír cebollas
- 6 tazas de cebollas en rodajas finas (aproximadamente 3 libras)
- 6 dientes de ajo
- 3 cucharadas tomillo fresco o 1 cucharada. tomillo seco
- 1 hoja de laurel
- sal pimienta
- 2 cucharadas aceite para gotear encima de la pizza (opcional)
- 1 cucharada alcaparras escurridas
- 1-1 / 2 cucharadas piñones

Calentar 1/4 taza de aceite de oliva y agregar la cebolla, el ajo, el tomillo y la hoja de laurel. Cocine, revolviendo ocasionalmente, hasta que la mayor parte de la humedad se haya evaporado y la mezcla de cebolla esté muy suave, casi tersa y caramelizada, aproximadamente 45 minutos. Deseche la hoja de laurel y sazone con sal y pimienta.

Cubra la masa con la mezcla de cebolla, espolvoree con alcaparras y piñones, y rocíe con el aceite de oliva restante si lo está usando. Hornee en horno precalentado a 500 grados durante 10 minutos o hasta que estén doradas. El tiempo de horneado variará dependiendo de si hornea sobre una piedra, una pantalla o una sartén. Asegúrese de que su horno esté bien precalentado antes de colocar la pizza.

Queso Calzone

- 1 libra de queso ricotta
- 1 taza de mozzarella rallada
- pizca de pimienta negra
- Masa de pizza estilo NY
- Precaliente el horno a 500F.

Tome 6 oz. bola de masa y colocar sobre una superficie enharinada. Extienda, con la punta de los dedos, en un círculo de 6 pulgadas. Coloque 2/3 taza de queso

mezclar de un lado y doblar por el otro lado. Selle con las yemas de los dedos asegurándose de que no haya mezcla de queso en el sello. Apriete el borde para asegurar un sello hermético. Pat calzone para llenar uniformemente el interior. Revise el sello nuevamente para detectar fugas. Repite con los demás.

Coloque los calzones en una bandeja para hornear ligeramente engrasada. Corte una hendidura de 1 pulgada en la parte superior de cada uno para ventilar mientras hornea. Coloque en el centro del horno y hornee durante 10 a 12 minutos o hasta que estén doradas. Sirva con su salsa de tomate favorita, caliente, ya sea por encima o por un lado para mojar.

PIZZA DE CEREZAS Y ALMENDRAS

- Masa
- 2 claras de huevo
- 125 g (4 oz - 3/4 taza) de almendras molidas
- 90 g (3 oz - 1/2 taza) de azúcar en polvo
  unas gotas de esencia de almendra
- 750 g (1 1/2 lb) tarro de cerezas Morello en jugo
- 60g   (2 oz - 1/2 taza) de almendras en copos
- 3 cucharadas de azúcar glas de mermelada de cereza MorelOo para espolvorear
- crema batida, para decorar

Precaliente el horno a 220C (425F. Gas 7)

En un bol, bata ligeramente las claras de huevo. Agregue las almendras molidas, el azúcar en polvo y la esencia de almendras. Extienda la mezcla uniformemente sobre la base de la pizza.

Escurre las cerezas, reservando el jugo. Vierta sobre la pizza, reservando algunas para decorar. Espolvorea con almendras en copos y hornea en el horno durante 20 minutos hasta que la masa esté crujiente y dorada.

Mientras tanto, en una cacerola, caliente el jugo reservado y la mermelada hasta que esté almibarada. Espolvoree la pizza cocida con azúcar glas y decore con crema batida y las cerezas reservadas.

PIZZA ESTILO CHICAGO

- 1 taza de salsa para pizza
- 12 onzas. Queso mozzarella rallado
- 1/2 libra de carne molida, desmenuzada, cocida
- 1/4 libra de salchicha italiana, desmenuzada, cocida
- 1/4 libra de salchicha de cerdo, desmenuzada, cocida
- 1/2 taza de pepperoni, cortado en cubitos
- 1/2 taza de tocino canadiense, cortado en cubitos
- 1/2 taza de jamón, cortado en cubitos
- 1/4 libra de champiñones, en rodajas
- 1 cebolla pequeña, en rodajas
- 1 pimiento verde, sin semillas, cortado en rodajas
- 2 onzas. Queso parmesano rallado

Para la masa, espolvoree la levadura y el azúcar en agua tibia en un tazón pequeño y deje reposar hasta que esté espumoso, aproximadamente 5 minutos.

Mezcle la harina, la harina de maíz, el aceite y la sal en un tazón grande, haga un hueco en el centro y agregue la mezcla de levadura. Revuelva para formar una masa suave, agregando más harina si es necesario. Gire sobre una tabla enharinada y amase hasta que la masa esté suave y elástica, de 7 a 10 minutos. Transfiera a un tazón grande, cubra y deje crecer en un lugar cálido hasta que la masa se haya duplicado, aproximadamente 1 hora. Golpea hacia abajo.

Enrolle la masa en un círculo de 13 pulgadas. Transfiera a un molde para pizza de 12 pulgadas engrasado, doblando el exceso para hacer un borde pequeño. Unte con salsa de pizza y espolvoree con todo menos un puñado de queso mozzarella. Espolvorea con carnes y verduras. Cubra con la mozzarella restante y el queso parmesano. Deje reposar en un lugar cálido unos 25 minutos.

Caliente el horno a 475 grados. Hornee la pizza hasta que la masa esté dorada, aproximadamente 25 minutos. Deje reposar 5 minutos antes de cortar.

PIZZA DE PLATO HONDO

- Spray antiadherente para cocinar, para rociar el inserto de la olla de cocción lenta
- 8 onzas de masa de pizza preparada (si está refrigerada, déjela crecer en un tazón engrasado
- 2 horas)
- 8 onzas de queso mozzarella en rodajas (no rallado)
- 8 onzas de pepperoni en rodajas finas, preferiblemente del tamaño de un sándwich
- 1/2 taza de salsa para pizza comprada en la tienda
- 1 cucharada de queso parmesano rallado
- 6 hojas de albahaca fresca, cortadas en gasa
- 1 pizca de pimiento rojo triturado

Precaliente la olla de cocción lenta a temperatura alta durante 20 minutos. Rocíe el inserto con aceite en aerosol antiadherente.

En una superficie limpia, estire, enrolle y forme la masa en aproximadamente la misma forma que el inserto de la olla de cocción lenta. El objetivo es una corteza fina y agradable. Coloque en la olla y extiéndalo si es necesario. Cocine a fuego alto, DESCUBIERTO, durante 1 hora sin coberturas.

Coloca las rodajas de mozzarella sobre la masa y sube por los lados aproximadamente 1 pulgada por encima de la corteza. Superponga cada rebanada, moviéndose en un círculo en el sentido de las agujas del reloj hasta cubrir el perímetro. Coloque 1 rebanada más para cubrir el lugar vacío en el medio, si es necesario. Unte una capa de pepperoni de la misma manera que lo hizo con el queso.

Siga con una pequeña capa de salsa para pizza.

Espolvorea con el parmesano.

Cocine a fuego alto hasta que la corteza de queso esté oscura y caramelizada y el fondo esté firme y marrón, una hora más. Sacar con cuidado de la olla de cocción lenta con una espátula.

Adorne con albahaca y pimiento rojo triturado.

PIZZA AL HORNO HOLANDÉS

- 2 paquetes rollos de media luna
- 1 frasco de salsa para pizza
- 1 1/2 libra de carne molida
- 8 oz de queso cheddar rallado
- 200 g de queso mozzarella rallado
- 4 oz de pepperoni
- 2 cucharaditas de orégano
- 1 cucharadita de ajo en polvo
- 1 cucharadita de cebolla en polvo

Dore la carne molida, escurra. Forre el horno holandés con 1 paquete. rollos de media luna. Unte la salsa para pizza sobre la masa. Agregue la carne molida, el pepperoni y espolvoree orégano, ajo en polvo y cebolla en polvo encima. Agregue los quesos y use el segundo paquete. rollos de media luna para formar la corteza superior. Hornee 30 minutos a 350 grados. Otros como pimiento verde picado, picado

Conos De Pizza De Ensalada De Huevo

- 1/4 taza de aderezo para ensaladas italiano cremoso bajo en grasa embotellado
- 1/2 cucharadita de condimento italiano, triturado
- 6 huevos duros, picados
- 1/4 taza de cebollas verdes en rodajas con la parte superior
- 1/4 taza de pepperoni picado
- 6 conos de helado simples
- Champiñones picados, pimientos verdes, aceitunas negras al gusto
- 3/4 taza de salsa para pizza
- 2 cucharadas de queso parmesano rallado

En un tazón mediano, mezcle el aderezo y el condimento. Agregue los huevos, la cebolla y el pepperoni. Cubra y refrigere hasta que esté listo para servir.

Para servir, coloque aproximadamente 1/3 de taza de la mezcla en cada cono. Cubra con aproximadamente 2 cucharadas de salsa para pizza y champiñones, pimientos y aceitunas al gusto. Espolvorea cada uno con aproximadamente 1 cucharadita de queso.

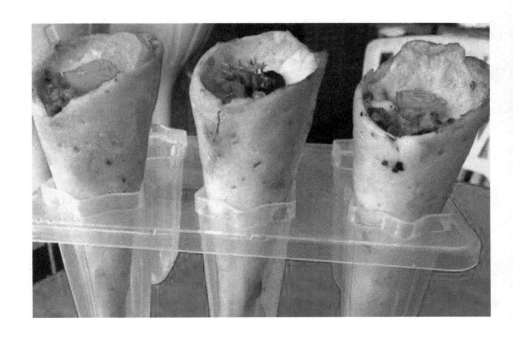

PIZZA DE HIGOS, TALEGGIO Y ACHICORIA

- 3 higos de Mission secos
- ½ taza de vino tinto seco
- 2 cucharadas de nueces crudas en trozos de harina para todo uso
- 1 bola (6 oz) de masa para pizza sin amasar
- 2 cucharadas de aceite de oliva virgen extra
- ½ achicoria de cabeza pequeña, rallada (aproximadamente ¼ de taza)
- 2 onzas. Taleggio u otro queso picante, cortado en trozos pequeños

Precaliente el asador con la parrilla a 5 pulgadas del elemento o la llama. Si está utilizando una sartén de hierro fundido o una plancha para la pizza, colóquela a fuego medio-alto hasta que esté humeante, aproximadamente 15 minutos. Transfiera la sartén (boca abajo) o la plancha a la parrilla.

Ponga los higos en una sartén pequeña a fuego medio, vierta el vino y deje hervir. Apaga el fuego y deja los higos en remojo durante al menos 30 minutos. Escurrir, luego picar en trozos de ½ pulgada. Tuesta los trozos de nuez en una sartén seca a fuego medio-alto, de 3 a 4 minutos.

Transfiera a un plato, deje enfriar y luego pique en trozos grandes.

Para dar forma a la masa, espolvorear una superficie de trabajo con harina y poner encima la bola de masa. Espolvorear con harina y amasar unas cuantas veces hasta que la masa se una. Agregue más harina si es necesario. Forme una ronda de 8 pulgadas presionando desde el centro hacia los bordes, dejando un borde de 1 pulgada más grueso que el resto.

Abra la puerta del horno y deslice rápidamente hacia afuera la parrilla con la superficie de cocción sobre ella. Recoja la masa y transfiérala rápidamente a la superficie de cocción, teniendo cuidado de no tocar la superficie. Rocíe 1 cucharada de aceite sobre la masa, esparza los trozos de nuez encima, luego achicoria, luego higos picados y luego queso. Deslice la rejilla nuevamente dentro del horno y cierre la puerta. Ase la pizza hasta que la corteza se haya inflado alrededor de los bordes, la pizza se haya ennegrecido en algunos puntos y el queso se haya derretido, de 3 a 4 minutos.

Retire la pizza con una piel de madera o metal o un cuadrado de cartón, transfiérala a una tabla de cortar y déjela reposar unos minutos. Rocíe la cucharada de aceite restante encima, corte la pizza en cuartos, transfiérala a un plato y cómela.

PASTEL DE PIZZA DE MANTEQUILLA DE MANÍ CONGELADA

- 2 cáscaras de masa de masa fina de 12 pulgadas
- 2 cucharadas. mantequilla ablandada
- 1 taza de 8 oz. paquete de queso crema, ablandado
- 1 taza de mantequilla de maní cremosa, ablandada
- 1 1/2 tazas de azúcar en polvo
- 1 taza de leche
- 1 taza de 12 oz. paquete Cool Whip
- sirope de chocolate

Precaliente el horno a 400 ° F.

Unte la parte superior y los bordes de las conchas de pizza con mantequilla, colóquelas en la rejilla del horno central y hornee por 8 minutos. Retirar y enfriar sobre rejillas de alambre.

En un bol grande de batidora eléctrica, bata el queso crema y la mantequilla de maní, luego agregue el azúcar en polvo en tres porciones, alternando con la leche. Incorpora el Cool Whip descongelado y luego esparce la mezcla sobre las bases de pizza enfriadas. Congele hasta que esté firme. Sirva las pizzas frías, pero no congeladas. Justo antes de servir, rocíe con almíbar de chocolate.

SUPER PIZZA PLANCHA

- $\frac{1}{4}$ de taza de salsa marinara
- $\frac{1}{4}$ de taza de espinaca fresca picada
- $\frac{1}{4}$ de taza de mozzarella rallada
- $\frac{1}{4}$ de taza de tomates cherry en cuartos
- 1/8 cucharadita de orégano

Batir la harina, el agua, el aceite y la sal hasta que quede suave.

Vierta la masa en una plancha caliente empañada con aceite en aerosol.

Caliente cada lado durante 4-5 minutos (hasta que la corteza comience a dorarse).

Voltee la masa una vez más y cubra con salsa marinara, espinacas, queso, tomate y orégano.

Calentar durante 3 minutos o hasta que el queso se derrita.

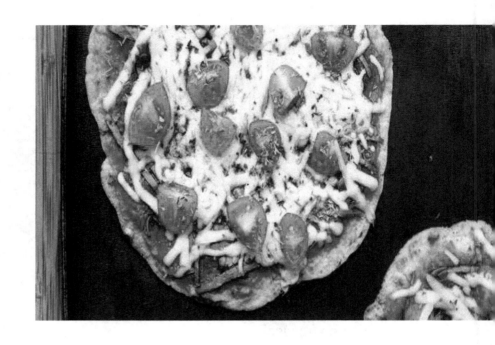

PIZZA A LA PARRILLA

- 1 cucharadita de levadura seca
- 1 cucharada de aceite de soja
- 1 cucharadita de azucar
- $\frac{1}{2}$ taza de agua tibia (110 ° F)
- 1 $\frac{1}{2}$ taza de harina de pan
- 1 cucharada de harina de soja
- 1 cucharadita de sal

Combine la levadura, el azúcar y $\frac{1}{2}$ taza de agua muy tibia en un tazón, deje reposar durante cinco minutos. Combine la harina y la sal en un tazón. Mezcle la mezcla de levadura con un recipiente que contenga seco. Agregue un poco de harina extra si la masa está pegajosa. Amasar durante unos buenos 10 minutos.

Poner en un bol engrasado y dejar reposar durante 60 minutos hasta que duplique su tamaño. Coloque sobre una superficie enharinada y luego amase ligeramente hasta que quede suave. Extiéndalo en un círculo de $\frac{1}{4}$ "de grosor y 12" de diámetro. Cuanto más fina esté la masa, mejor.

Antes de colocar su corteza en la parrilla, asegúrese de que su parrilla esté limpia y bien engrasada. Esto ayudará a evitar que la masa se pegue a la parrilla. Necesitará algo lo suficientemente grande para transportar su masa a la parrilla. Una espátula para pizza es muy recomendable para esta tarea. Cepille una capa uniforme de aceite de oliva virgen extra en el lado que quedará hacia abajo primero. El aceite aportará sabor y ayudará a evitar que la masa se pegue a la parrilla, además de darle a la corteza un agradable acabado crujiente.

Antes de colocar su pizza en la parrilla, es posible que desee quitar la rejilla superior de la parrilla para que sea más fácil darle la vuelta a la pizza. Cocine el primer lado de 1 a 3 minutos antes de voltear dependiendo del calor de su parrilla. Durante este tiempo, deberá cepillar el aceite de oliva en el lado que mira hacia arriba. Mientras cocina el primer lado, mire debajo del borde de la corteza para controlar su acabado.

Cocine hasta que esté satisfecho con el acabado y luego voltee la corteza. Después de voltear, aplique inmediatamente cualquier cobertura que desee. Es muy recomendable que mantenga la cobertura muy ligera, ya que no tendrán la oportunidad de cocinarse en la parrilla sin quemar la corteza. Puede considerar precocinar ciertas como carnes y verduras gruesas. Asegúrese de bajar la tapa lo antes posible para atrapar el calor y terminar de cocinar los ingredientes.

Cocine la pizza durante 2-3 minutos adicionales o hasta que esté satisfecho con el acabado de la masa.

Pizza Blanca a la Parrilla con Soppressata y Pimientos Cherry

- Masa
- 1 taza de aceite de oliva
- 6 dientes de ajo machacados
- 2 dientes de ajo picados
- 1 taza de ricotta de leche entera
- 1 cucharadita de tomillo fresco picado
- 2 cucharaditas más 1 cucharada de orégano fresco picado, mantenga por separado 1/2 taza de aceite de oliva
- 4 tazas de mozzarella rallada
- 1 taza de queso parmesano rallado
- 6 onzas de Soppressata u otro salami curado, en rodajas finas
- 4 onzas de pimientos cherry (en frascos), escurridos y cortados en trozos
- Sal kosher y pimienta negra recién molida Harina de maíz (molida gruesa), según sea necesario

Precaliente el horno a 150 ° F o al mínimo. Cuando el horno alcance la temperatura, apáguelo. Vierta el agua en el tazón de trabajo de un procesador de alimentos o batidora de pie (ambos deben tener un accesorio para masa). Espolvoree el aceite, el azúcar y la levadura sobre el agua y presione varias veces hasta que se mezclen. Agrega la harina y la sal y procesa hasta que la mezcla se una. La masa debe quedar suave y ligeramente pegajosa. Si está muy pegajoso, agregue 1 cucharada de harina a la vez y presione brevemente. Si aún está demasiado rígido, agregue 1 cucharada de agua y presione brevemente. Procese otros 30 segundos.

Coloca la masa sobre una superficie de trabajo ligeramente enharinada. Amasarlo a mano para formar una bola redonda y lisa. Coloque la masa en un recipiente grande y limpio que haya sido cubierto con aceite de oliva y cubra bien con una envoltura de plástico. Deje reposar durante 15 minutos en el horno antes de continuar.

En una olla pequeña agregue 1 taza de aceite de oliva con los 6 dientes de ajo machacados. Deje hervir a fuego lento, luego retire del fuego para permitir que el ajo infunda el aceite y se enfríe. En un tazón pequeño, combine la ricota, 2 dientes de ajo picado, tomillo picado y 2 cucharaditas de orégano picado. Retira la masa del horno, golpéala y colócala sobre una superficie de trabajo ligeramente enharinada. Divida la masa en cuatro bolas de 4 pulgadas. Coloque la piedra para pizza en la parrilla y
precaliente la parrilla de gas a un nivel alto.

Espolvoree ligeramente la superficie de trabajo con ¼ de taza de harina de maíz. Enrolle o estire 1 círculo de masa suavemente en un rectángulo o círculo de 12 ", de ¼" de grosor. Unte con unas 2 cucharadas de aceite de oliva. Espolvoree la cáscara de pizza con harina de maíz y luego deslice la masa sobre ella. Coloque los aderezos sobre la masa redonda en este orden Primero unte con aceite de ajo, luego agregue ricotta de hierbas, luego cubra con mozzarella, parmesano, Soppressata y pimientos cereza.

Con la pala de pizza, deslice la pizza sobre la piedra para pizza caliente. Cierre la tapa lo más rápido posible. Ase durante unos 5-7 minutos, o hasta que la base de la corteza esté bien dorada, los aderezos estén calientes y el queso burbujee, aproximadamente de 5 a 10 minutos.

PIZZA DE VERDURAS A LA PARRILLA

- 1 taza de agua tibia (aproximadamente 100 grados F)
- $\frac{1}{4}$ de taza de aceite de oliva 1 $\frac{1}{2}$ cucharadita de miel
- 1 sobre de levadura de crecimiento rápido
- 3 tazas de harina para todo uso, más extra según sea necesario
- 1 $\frac{1}{2}$ cucharadita de sal kosher.

Precaliente el horno a 150 grados o al mínimo. Cuando el horno alcance la temperatura, apáguelo. Vierta el agua en el tazón de trabajo de un procesador de alimentos o batidora de pie (ambos deben tener un accesorio para masa). Espolvoree el aceite, el azúcar y la levadura sobre el agua y presione varias veces hasta que se mezclen. Agrega la harina y la sal y procesa hasta que la mezcla se una. La masa debe quedar suave y ligeramente pegajosa. Si está muy pegajoso, agregue 1 cucharada de harina a la vez y presione brevemente. Si todavía está demasiado rígido, agregue 1 cucharada de agua y presione brevemente. Procese otros 30 segundos.

Coloque la masa sobre una superficie de trabajo ligeramente enharinada y amásela con la mano para formar una bola redonda y lisa. Coloque la masa en un recipiente grande y limpio que haya sido cubierto con aceite de oliva y cubra bien con una envoltura de plástico. Deje reposar durante 15 minutos en el horno antes de continuar. Retira la masa del horno, golpéala y conviértela en una superficie de trabajo ligeramente enharinada.

Divida la masa en cuatro bolas de 4 pulgadas y continúe con las instrucciones para hacer la pizza.

Pizza marinara, mozzarella, rúcula y limón

- 1 receta de masa para pizza
- 2 tazas de puré de tomate (directamente de un frasco o tomates enteros de una lata de 28 oz, en puré)
- 1 diente de ajo, aplastado
- 1 cucharadita de orégano seco
- 1 cucharadita de pasta de tomate
- $\frac{1}{2}$ cucharadita de sal (tenga en cuenta que pruebe el puré antes de agregarlo, especialmente si se procesó con sal)
- Pimienta negro
- $\frac{1}{4}$ de cucharadita de hojuelas de pimiento rojo (opcional)
- 2 tazas de queso mozzarella rallado
- $\frac{1}{2}$ taza de Parmigiana rallada
- Opcional pero muy agradable
- $\frac{1}{2}$ manojo (aproximadamente 2 tazas) de rúcula, limpia y seca
- $\frac{1}{2}$ limón
- Un chorrito de aceite de oliva

Vierte el puré de tomate en una cacerola mediana y calienta a fuego medio. Agrega el ajo, el orégano y la pasta de tomate. Revuelva para asegurarse de que la pasta se haya absorbido en el puré.

Deje que hierva (esto ayuda a que la salsa se reduzca un poco), luego baje el fuego y revuelva para asegurarse de que la salsa no se pegue. La salsa puede estar lista en 15 minutos o puede hervir a fuego lento por más tiempo, hasta $\frac{1}{2}$ hora. Se reducirá en aproximadamente un cuarto, lo que le da al menos $\frac{3}{4}$ de taza de puré por pizza.

Pruebe la sal y sazone en consecuencia, y agregue la pimienta negra y / o las hojuelas de pimiento rojo. Retire el diente de ajo.

Sirve la salsa en el medio del círculo de masa y, con una espátula de goma, extiende hasta que la superficie esté completamente cubierta. Coloque la mozzarella (1 taza por pizza de 12 pulgadas) encima de la salsa. Recuerde, el queso se esparcirá a medida que se derrita en el horno, así que no se preocupe si parece que su pizza no está completamente cubierta de queso.

Coloque en un horno precalentado a 500 ° F y hornee como se indica para la masa de pizza (vea los detalles en la receta anterior). Cuando la pizza esté lista, adórnela con la parmesana y la rúcula (si la usa). Exprima el limón por todas las verduras y / o rocíe con aceite de oliva si lo desea.

PIZZA MEXICANA

- 1/2 libra de carne molida
- 1/2 cucharadita de sal
- 1/4 de cucharadita de cebolla picada seca
- 1/4 cucharadita de pimentón
- 1-1 / 2 cucharadita de chile en polvo
- 2 cucharadas de agua
- 8 tortillas de harina pequeñas (de 6 pulgadas de diámetro)
- 1 taza de manteca vegetal Crisco o aceite de cocina
- 1 lata (16 oz) de frijoles refritos
- 1/3 taza de tomate cortado en cubitos
- 2/3 taza de salsa picante suave
- 1 taza de queso cheddar rallado
- 1 taza de queso Monterey Jack rallado
- 1/4 taza de cebollas verdes picadas
- 1/4 taza de aceitunas negras en rodajas

Cocine la carne molida a fuego medio hasta que se dore, luego escurra el exceso de grasa de la sartén. Agregue sal, cebolla, pimentón, chile en polvo y agua, y luego deje que la mezcla hierva a fuego medio durante unos 10 minutos. Revuelva con frecuencia.

Caliente el aceite o la manteca vegetal Crisco en una sartén a fuego medio-alto. Si el aceite comienza a humear, está demasiado caliente. Cuando el aceite esté caliente, fríe cada tortilla durante unos 30 a 45 segundos por lado y reserva sobre toallas de papel. Al freír cada tortilla, asegúrese de hacer estallar las burbujas que se formen para que la tortilla quede plana en el aceite. Las tortillas deben dorarse. Caliente los frijoles refritos en una cacerola pequeña sobre la estufa o en el microondas.

Precaliente el horno a 400F. Cuando la carne y las tortillas estén listas, apile cada pizza untando primero alrededor de 1/3 de taza de frijoles refritos en la cara de una tortilla. Luego esparza 1/4 a 1/3 taza de carne, luego otra tortilla. Cubra sus pizzas con dos cucharadas de salsa en cada una, luego divida los tomates y apílelos encima. A continuación, divida el queso, las cebollas y las aceitunas, apilándolas en ese orden. Coloque las pizzas en el horno caliente durante 8 a 12 minutos o hasta que el queso de la parte superior se derrita. Rinde 4 pizzas.

Mini Bagels De Pizza

- Mini Bagels
- Salsa de pizza
- Queso Mozzarella Rallado

Precaliente el horno a 400 *

Divida los bagels por la mitad, esparza la salsa uniformemente en cada mitad, espolvoree el queso.

Hornea de 3 a 6 minutos o hasta que el queso se derrita a tu gusto.

Pizza Muffuletta

- 1/2 taza de apio finamente picado
- 1/3 taza de aceitunas verdes rellenas de pimiento picado 1/4 taza de pepperoncini picado 1/4 taza de cebollas de cóctel picadas
- 1 diente de ajo picado
- 3 cucharadas aceite de oliva virgen extra
- 2 cucharaditas mezcla seca de aderezo para ensaladas italianas
- 3 onzas. jamón deli / salami en rodajas finas, cortado en cubitos
- 8 oz. queso provolone rallado
- 2 costras de masa cruda de 30 cm (30 cm)
- aceite de oliva virgen extra

Mezcle los primeros 7 para la ensalada de aceitunas marinadas y enfríe durante la noche. Combine la ensalada de aceitunas, el jamón y el queso. Cubra una corteza de masa con 1/2 de la mezcla. Rocíe con aceite. Hornee en horno precalentado a 500 ° F por

8-10 minutos o hasta que la corteza esté dorada y el queso se derrita. Retirar del horno y enfriar sobre una rejilla de alambre durante 2-3 minutos antes de cortar en gajos y servir. Repita con otra masa de masa.

PAN PIZZA

- Masa
- 2 cucharadas de aceite de oliva
- 1 diente de ajo pelado y picado
- 2 cucharadas de pasta de tomate
- Pizca de hojuelas de chile, al gusto
- Lata de 128 onzas de tomates picados o triturados
- 2 cucharadas de miel o al gusto
- 1 cucharadita de sal kosher o al gusto

Haga la masa uno o dos días antes de que desee hornear, la receta es suficiente para tres pasteles. Combine la harina y la sal en su tazón para mezclar más grande. En otro tazón, combine el agua, la mantequilla, el aceite de oliva y la levadura. Mezclar bien.

Use una espátula de goma para crear un hueco en el centro de la mezcla de harina, y agregue el líquido del otro tazón, revolviendo con la espátula y raspando los lados del tazón para unir todo. Mézclelo todo junto hasta que sea una bola grande y peluda de masa húmeda, cúbrala con una envoltura de plástico y déjela reposar durante 30 minutos.

Destape la masa y, con las manos enharinadas, amásela hasta que esté uniformemente suave y pegajosa, aproximadamente de 3 a 5 minutos. Mueva la bola de masa a un tazón limpio para mezclar, cúbrala con una envoltura de plástico y déjela reposar durante 3 a 5 horas a temperatura ambiente, luego refrigere, al menos 6 horas y hasta 24 horas.

La mañana que quieras hacer las pizzas, saca la masa del frigorífico, divídela en 3 trozos de igual tamaño (unos 600 gramos cada uno) y dales forma de bolitas alargadas. Use aceite de oliva para engrasar tres sartenes de hierro fundido de 10 pulgadas, moldes para hornear de 8 pulgadas por 10 pulgadas con lados altos, fuentes de vidrio para hornear de 7 pulgadas por 11 pulgadas o alguna combinación de los mismos, y coloque las bolas en ellos. Cubra con papel film y deje reposar a temperatura ambiente, de 3 a 5 horas. la mezcla es brillante y apenas comienza a caramelizarse.

Prepara la salsa. Coloque una cacerola a fuego medio-bajo y agregue 2 cucharadas de aceite de oliva. Cuando el aceite esté reluciente, agregue el ajo picado y cocine, revolviendo, hasta que esté dorado y aromático, aproximadamente de 2 a 3 minutos.

Agrega la pasta de tomate y una pizca de hojuelas de chile y sube el fuego a medio. Cocine, revolviendo con frecuencia

Agregue los tomates, hierva, luego baje el fuego y deje hervir a fuego lento durante 30 minutos, revolviendo ocasionalmente.

Retire la salsa del fuego y agregue la miel y la sal al gusto, luego mezcle en una licuadora de inmersión o deje enfriar y use una licuadora normal. (La salsa se puede preparar con anticipación y guardar en el refrigerador o congelador. Rinde suficiente para 6 o más pasteles).

Después de aproximadamente 3 horas, la masa casi habrá duplicado su tamaño. Estire la masa muy suavemente a los lados de los moldes, haciendo hoyuelos suavemente con los dedos. Luego, la masa se puede dejar reposar durante otras 2 a 8 horas, cubierta con una envoltura.

Prepara las pizzas. Caliente el horno a 450. Suavemente tire de la masa hacia los bordes de los moldes si aún no ha subido a los bordes. Use una cuchara o cucharón para poner de 4 a 5 cucharadas de salsa sobre la masa, cubriéndola suavemente por completo. Espolvoree la mozzarella baja en humedad sobre las tartas, luego espolvoree con la mozzarella fresca y el pepperoni al gusto.

Espolvorear con el orégano y batir con un poco de aceite de oliva.

Coloque las pizzas en la rejilla del medio del horno en una bandeja para hornear grande o en bandejas para capturar los derrames, luego cocine durante 15 minutos más o menos. Use una espátula compensada para levantar la pizza y verifique los fondos. La pizza estará lista cuando la corteza esté dorada y el queso se derrita y comience a dorarse por encima, aproximadamente de 20 a 25 minutos.

CHILE DE PIZZA DE PEPPERONI

- 2 libras de carne molida
- 1 libra de salchichas italianas calientes
- 1 cebolla grande picada
- 1 pimiento verde grande, picado
- 4 dientes de ajo picados
- 1 frasco (16 onzas) de salsa
- 1 lata (16 onzas) de frijoles con chile picante, sin escurrir
- 1 lata (16 onzas) de frijoles rojos, enjuagados y escurridos
- 1 lata (12 onzas) de salsa para pizza
- 1 paquete (8 onzas) de pepperoni en rodajas, cortado por la mitad
- 1 taza de agua
- 2 cucharaditas de chile en polvo
- 1/2 cucharadita de sal
- 1/2 cucharadita de pimienta
- 3 tazas (12 onzas) de queso mozzarella rallado

En un horno holandés, cocine la carne, la salchicha, la cebolla, el pimiento verde y el ajo a fuego medio hasta que la carne ya no esté rosada; escurra. Agregue la salsa, los frijoles, la salsa para pizza, el pepperoni, el agua, el chile en polvo, la sal y la pimienta. Llevar a hervir. Reduzca el fuego; cubra.

PIZZA PESTO

- 1 1/2 tazas (empaquetadas) de hojas de espinaca de tallo
- 1/2 taza (empaquetadas) de hojas frescas de albahaca (aproximadamente 1 manojo)
- 1 1/2 cucharadas de aceite de tomates secos envasados en aceite o aceite de oliva
- 1 diente de ajo grande
- Aceite de oliva
- 1 cáscara de masa estilo NY de 12 pulgadas
- 1/3 taza de tomates secados al sol empacados en aceite, escurridos en rodajas 2 tazas de queso mozzarella rallado (aproximadamente 8 onzas)
- 1 taza de queso parmesano rallado

Licue los primeros 4 en el procesador hasta obtener un puré grueso. Transfiera el pesto a un tazón pequeño. (Se puede preparar con 1 día de anticipación. Presione el plástico directamente sobre la superficie del pesto para cubrir y refrigerar.) Precaliente el horno a 500F. Engrase un molde para pizza de 12 pulgadas con aceite de oliva. Coloca la masa en el molde y esparce todo el pesto sobre la masa. Espolvoree con tomates secos, luego quesos. Hornee la pizza hasta que la masa se dore y el queso se derrita.

Pizza Philly Cheesesteak

- 1 cebolla mediana, en rodajas
- 1 pimiento verde mediano, en rodajas
- 8 oz. Champiñones, en rodajas
- 8 oz. Rosbif, afeitado
- 3 cucharadas. Salsa inglesa
- 1/4 de tés. Pimienta negra
- 1 lote de masa de corteza gruesa siciliana
- 3 cucharadas. Aceite de oliva
- 1 tés. Ajo machacado
- 4 tazas de queso provolone
- 1/4 taza de queso parmesano rallado

Saltee las verduras en 1 cucharada. aceite de oliva hasta que esté suave, agregue el rosbif. Cocine por tres minutos más. Agregue la salsa Worchestershire y la pimienta, revuelva y retire del fuego. Dejar de lado. Unte la masa preparada con 3 cucharadas. aceite de oliva y esparcir ajo machacado sobre toda la superficie de la masa. Cubra con una capa ligera de queso rallado, luego la mezcla de carne y verduras, distribuyendo uniformemente. Cubra con el resto del queso rallado y luego con el parmesano. Hornee en horno pre-odiado a 500F hasta que el queso se derrita y burbujee. Deje reposar 5 minutos antes de cortar y servir.

PIZZA DE PITA CON ACEITUNAS VERDES, MONTEREY JACK Y ENSALADA PICADA

Ensalada picada

- 1 diente de ajo, pelado y cortado por la mitad
- 2 cucharadas de vinagre balsámico
- 1 cebolla morada pequeña, cortada por la mitad, en rodajas finas
- $\frac{1}{4}$ taza de aceite de oliva virgen extra
- Sal marina gruesa y pimienta negra fresca 3 corazones de lechuga romana, picados en trozos grandes 4 pepinos Kirby medianos, cortados en
- piezas del tamaño de un bocado
- 2 tomates medianos, sin corazón, sin semillas y cortados en cubitos
- 1 aguacate maduro, cortado en cubitos
- 5 hojas frescas de albahaca, cortadas en trozos
- 8-10 hojas de menta fresca, cortadas en pedazos

Pizza de pita

- 4 (7 pulgadas) panes de pita sin bolsillo
- 8 oz. Queso Monterey Jack, rallado

- $\frac{1}{2}$ taza de aceitunas verdes sin hueso y picadas
- 2 chiles jalapeños, picados Copos de pimiento rojo triturados Pimienta negra recién molida Queso parmesano rallado para decorar

Coloque una piedra para pizza o una bandeja para hornear con borde invertido en el tercio superior del horno y precaliente el horno a 450 ° F.

Para preparar la ensalada, frote vigorosamente el interior de un tazón grande con el ajo. Agrega el vinagre y la cebolla morada y deja reposar por 5 minutos. Agrega el aceite y sazona con sal y pimienta. Agregue la lechuga, el pepino, el tomate, el aguacate, la albahaca y la menta y mezcle bien. Hornee las pitas, en tandas si es necesario, en la piedra o sartén para pizza calentada durante 3 minutos. En un tazón pequeño, combine el queso, las aceitunas y los jalapeños. Divide esta mezcla entre las cuatro pitas.

Regrese las pitas al horno, dos a la vez, y hornee hasta que el queso burbujee y se dore ligeramente, aproximadamente 5 minutos. Coloque la ensalada encima de las pizzas, espolvoree con queso parmesano y sirva.

SPREAD pita bread with sauce. ADD extra garlic powder and oregano if desired. Then ADD your choice of toppings! Chopped tomatoes, onions, peppers, zucchini, or yellow squash are all delicious and nutritious! Top with QUICK AND EASY PIMENTO CHEESE and sliced black ripe olives. BAKE at 400° for 10 minutes.

Pizza Burgers

- 1 lb ground beef
- 1/4 c chopped olives
- 1 c cheddar cheese
- 1/2 t garlic powder
- 1 8 oz can tomato sauce
- 1 onion, diced

Brown meat with garlic and onions.

Remove from heat and stir in tomato sauce and olives.

Place in hot dog buns with cheese.

Wrap in foil and bake for 15 minutes at 350 degrees.